安藤直彦歌集

SUNAGOYA SHOBŌ

現代短歌文庫

砂子屋書房

『佐夜（さよ）の鄙歌（ひなうた）』（全篇）

自撰歌集

解説

安藤直彦歌集

『佐夜(さよ)の鄙歌(ひなうた)』(全篇)

音にし生れ

樫の実のひとり人をしおもふ身のあまつひかりの樹間をあゆむ

谷中の飯場に冬の日は充ちて若きがひとり魚喰うてをり

風となくしづもる宮の夕さりを解(ほっ)れて落つる注連縄ならむ

山の芋こほろこほろに擂る人よ太き連木をお指に巻いて

夜はわきてさびしき人となるならむ火宅を離れ花托に眠る

「外国人の子供が欲しい」わが前をすぐるをとめの声は聞こえて

はしるとも転がるとしも群れだてる春のすずめは人ちかくして

ゆく水のあのもこのもの音(ね)にし生(あ)れ春やひとりひとりの歩み

脇道

なか空に咲きあらはれて散る花の流るるみれば少し風ある

さくら花ひとみ幾万横を向き下向きわれをみてゐるごとし

脇道をその先しらずきりぎしに枝垂れながらの山吹咲くを

アブラハヤのやはら小口にかかりゐる小さき鉤(はり)をはづすかそけさ

田の道をちひさな犬がひとりゆく五月の水に音は聞こえて

檜林の秀(ほ)にあらはれてたち仰ぐむらさきこゆき山藤の花

稽留の舟に小波の音はして昼の港を猫かよぎれる

人の名を記せし紙片みつからぬままに出でたり行合の雲

鮎釣ると

夏雲のかがよふ渓は焼け石に亀ひとつゐて
人とほみかも

遠山の雲や平たき靴はいて日光きすげの道
はるかなれ

釣り糸の強き結びに8の字のチワワといふ
がありて肯ふ

そのかみの松浦乙女（まつらをとめ）の鮎釣ると声のほがら
も浮かべみるべし

およがせに鮎釣る糸のたるみにもいつ知ら
秋の風さやるなり

夕翳る川辺をたちし青鷺のさもゆるらかに
日の中をゆく

夕されば瀬の音たかみ影くらみひとり男（を）の
子の竿納めたる

濡れ濡れに毛物がブルルとするやうに身震
うてみつ真裸にして

夕窓

夕窓を叩く小さな音はして開くればついと
処女（をとめ）立ちたる

にはかなることとおどろく六十歳（ろくじふ）がちかぢ
かとみる処女子（をとめご）ならむ

めくばせの笑みほのかにも遠のける十八歳
をまとふ夕闇

ころころと女（め）の子男（を）の子にマンドリン聴か
せゐたりき林泉（しま）の水のべ

錠の音ひとつたつたる確かさに職退かむと
す明かりを消して

三月の夜風つめたく熱もてり今日をかぎり
の坂道くだる

板書してゐるしばらくに生徒らが誰もゐな
くなるところで覚める

水紀行

空港の裏はカフェの窓の外にフランスすずめのあそぶしたしさ

ネッカー川、ハイデルベルクの赤煉瓦　鈴懸に寄りて喫ふ煙草はも

ロイス川、カペルの橋のたもとにぞわれには見えて白き魚翻（かへ）す

ライン川、厚きながれの白濁をかなしとも見つ鮎し棲めねば

セーヌ川、中洲の街にK女史の住むとし聞けば橋はわたれる

ふりあふぐユングフラウは山裾の筧の水に手は打たせつつ

魔の山の麓は町のパンに寄るスイスすずめの嘴（はし）の黄色さ

木犀のいま香り立つ下かげに一つらねあり養蜂箱は

廃村の譜

本道をそれて入りゆく里なりき夏はも谷にうぐひす啼いて

狛犬にとかげ寝てをり石段にわれはまさをの榧（かや）の実ひろふ

ふる宮を頼むと来たり杉売りし金の幾許（いくばく）託して行けり

さびさびに御鏡ひとつ残りあり神璽（しんじ）千年のほこりをはらふ

「吸収合併飛び地境内地」わがなさむ法人解散の手続き煩瑣

水仙に水音さやり三椏の花はさかりに廃村つつむ

老い四人これが全部とくすぶれるストーブ囲み話しはじめつ

裏山にうぐひす啼くを窓開けてしばしはストーブのくすぶり放つ

なだりには三椏の花咲きそろひ三人（みたり）はここを退（の）くとし告ぐれ

人のゐない後のうぶすな神がこと　いかん
せんとや宮守われは

渓ふかく山女つかみしこの里の清き石辺に
蟹ふたつ透く

人なくばかなはぬことと水の神豊玉姫は海
に還(ゆ)きませ

かたくりの花はまだかと入る谷の捨て小畠
にうぐひす啼くも

みどり濃き照りのよろしさ奥山に春や祭り
の真榊採らむ

旅の男

飛び石の上に蛇の子ほのとゐて反故の整理
も昼となりたる

放哉のナミダホトケを見てきたと旅の男が
わが前に立つ

尾崎放哉

食ひ始めし鯖の一尾の熟(な)れ寿司を共に食は
むと頭尾(とうび)分けたる

一日を須磨の砂辺にただ座りゐたりしを言
ふ放哉として

たどたどと石段くだりゆく人に忘れの帽子振りて呼ばふも

人ゆきし後の一人に草を刈るよすがら鳴ける虫が草辺を

手もすまに花抱く女(ひと)よ夢に来て舌にからめる仕草をぞする

木犀の香りもほのに流れ来て鞄に蔵ふ文一つあり

ある野良猫のうた

手のひらを上に来よこよするわれに半ばよりきてそこよりは来ず

餌(ゑ)をやると寄れば逃ぐるよ野良猫の首伸べて見る距離(ほど)のことなさ

つくばひて手招くわれに意を定め駆け寄りきたり家なき猫は

赤茶けに黒のまだらの痩せ猫がみだらに足を開き背返る

食べ余す干物よろこび冬ばれのめぐりにあ
そび夕べをかへる

われが歩を8字にめぐりめぐりしてゆくも
この世の道行ならむ

ふりかへり来よといふがにうながせる猫よ
枯れ草のねぐらかまろき

夕さればかたみに別れ雪なかを汝(な)はかへり
ゆくいづことわかず

家うちに入れてはならぬならぬとぞきつと
言ひ置く妻がわれにある

三日がほど空けねばならぬわれなれば庇の
下に餌を設けおく

われを呼ぶ汝(な)が鳴く声の高ければ厭ふ女を
横目にかはす

帰り来て呼べど来らぬ汝がかげや人の悪意
を知らねばならず

抱く猫のいやがる猫が背力(せぢから)に撓り遠くもわ
れを離(か)れしか

佐夜の鄙歌

播磨風土記讃容の郡に伊師とてわが里はあり

川の底、床の如しとさながらに伊師とこそ
あれ石井の里は

夏さればきよら流れの滑石にわれは鮎釣る
その床石に

祀らむと灯す二つの蠟燭の灯をそよ山風の
あぶなく揺らす

荒神さん、お守りできなくなることを老い
はせつなく言うてくるなり

大藤を伐りし祟りもあることに頭抱へて婆
が縮まる

冬の雨降るや狭庭の枯れ枯れをつっと毛物
の駆けて消ゆるも

玉の緒の想を徹せと願ふ身に軒の溶け水絶
え絶えかかる

立ちみればのぶる幾枝に付く雪のふつとし
落つる朝のひかりに

都鄙かよふわが幾年をたたしめて傾りにそ
よぐ三椏の花

アイガー峰へ向かふ渓辺に

迫り出せる岩の下処に立たしめて地蔵にまがふマリヤならしも

冬晴れの坂

一月も七日となれる午後の陽を果樹の苗木の穴掘りてあり

後の日を梨の木蔭にうまごらがわれを語りて実をすすらむか

柵越しに人の寄りきて知り人の癌に病むとふひととき話す

地鎮めのみ祭り終へしわが前に村の若きが嫁をほしがる

茶づくりの友をさそひて「佐用の湯」にゆかんとすれば猫のつきくる

門先の茶の芽の伸びもそのままに老女ひとりの不在を問へり

こんにやくを作つたからとお隣が持ち来る声す冬晴れの坂

午後の陽のしぶく光のもろともに寒の水くむ神酒（みき）造らむと

三椏の花咲く里に一人棲むおばばに神札（おふだ）をとどけにかゆかむ

病院のベッドの上で

「なにかあつたら言つてください」囲まれて造影剤注入後の何か

全身麻酔におのが意識の行く方をつかまむとしてそこより不明

管をさされわが男体のすべなさよ看護をみなの手には見られて

わが意思を離れしもののいきなりを術後三日を茎立つ魔羅は

気が付けば七つの管につながれて遠いなづまの雨を見てゐる

長持ち形棺のベッドに死んでみる真夜の仰臥を閉づるまなこに

掛け軸の鷹に跳びかかりしわが猫のことも浮かび来術後四日は

二週間ほどともなれば看護師の性癖のほども知られてせつな

官能こそいのちのもとと言ふならくわが病床のまらに問ひかく

息つぎの間どほとなりて静かなる老衰自然の祖父の死浮かぶ

きせきれいの雛に糊など与へしに嘴の張り付き死なせしことよ

今日からを喫ってよろしと言問ひのこの世の橋を喫ひつつ渡る

寒蟬（つくつく）のひとつ夕べを鳴くものをくまぜみ浴びし街を還れば

外向きに抱へられたるをさな子のわれがみてゐしやうなさびしさ

紅玉の蜜や蓮華の濃き蜜を真白き皿の夕日にそそぐ

神斎（いっ）くわれに食へよと生きながら鰻一尾は人の持ちくる

洗心山荘

酒瓶をさげて山道おとなへば「洗心山荘」
は水音の中

五十二歳のきみはやばやと職をすて峪の水
辺の山荘に棲む

鹿除けにラヂヲ流すとめぐりには蕨・薇・
笹百合生ひて

春の日の庭に鶏（とり）などあそばせて女と山に生
くるを思へ

わが影についと離るるひそけさよ　ふりし
小池に赤き魚ゐる

語りゐつ　寒蘭・春蘭・海老根蘭　ランに
一生をかくる男よ

大根の花べに啼いて雀ごらこちらに首をか
しげなどする

二の腕のうちらにさやる猫の息五月真昼の
まどろみのなか

湯上りの襖の裏にわが妻が鼻をほじるをふ
りかへりみつ

生簀

棄てられの湯舟を据ゑて山水にアユあそば
する少年のごと

さてアユの餌はと川のヌル石の五つ六つを
沈めみてをり

ステンレスの生簀（いけす）の壁（へき）に笹の葉の幾筋があ
るそれより三日

囮とせむアユの二つを掬いあぐやうやう馴
れてきたれるものを

おとり鮎やせにぞやする古湯舟（こゆぶね）の生簀にわ
れは閉ぢ込め三日

山水の生簀にかこふ鮎ふたつ痩せにぞやせ
ていかにかすらむ

布袋草の三株がほどを浮かべたり夏日は午
後の雷過ぎてより

山水をそそぐ生簀に鮎は跳ね音さへひかる
この月あかり

一週間を空けて帰ればアユらみな浮かび死
にをり空の真青に

瀬をはやみ明るき方へ流心を逸れて落ちゆく秋鮎ふたつ

堅香子の谷

わが里の稲荷の谷の北なだり堅香子（かたかご）群れて生ふをよろこぶ

天啓のごとしと言はむひらめきに堅香子山の保全に向かふ

かたくり山に雪は明るく降りながらわれは来たりぬ咲くとなけれど

鹿垣ゆ雪はしづくと落ちつぐを谷のなかぞら鵯（ひよ）なきわたる

「耐ふるさびしさ」「初恋」などといふべくにあはれ堅香子俯いて咲く

入りゆかむ奥つ雪道しづく道けものの跡か一つらつづく

雪に倒れ雪にぬれたる孟宗のあをきを指にふれみたるかな

溶け雪に墓ははげしくぬれながら誰そ来しならむ足跡みだる

立て石に安政二年の刻みあり村の境の大日如来はや

注連縄の稲穂に群るるすずめらのたのしきろかも見つつ新年

雪かづくばうばう髪にて村に入る華やぎありと言ふにあらねど

濁流すぎて

夕虹に心やすらふ　夜九時をすぎて酒場に濁流奔る

廃村の神と棄てられ龍神の梅雨の長雨は豪雨となりぬ

無惨やな農の男の父祖（おほちち）の田畑一夜の雨に失せたり

濁流のあらひすぎにし混凝土（コンクリ）に出でしとかげもおろそかならず

水勢をのがれし鮎の稲の間におびただしきが死んでをりしと

八つ手の木にからまり蛇の殻あるは過ぎにしことの乾ぶるに似て

破(や)れ網をつくろふわれや夕さりてめぐりに虫のみな鳴き出づる

群　盗

野荊の刺のつる茎かたくかたく片寄りゆけどゆけど絡まる

群盗のごとくあらはる川鵜らが人間の鮎を食ひ尽くすなり

火柱のあがるとまでに群れ鵜らのたたす緩(ゆる)瀬(せ)の水さわぎ見ゆ

遠ぐろく翼やすらふ川鵜らが動くともなし砂に日を浴ぶ

濁流のすぎにし谷の荒れ砂によろぼひゐたる蟹をあせらす

わが柿を食ひあらしたる鴉めが子を持つ親となりてまた啼く

一様に整ひもてる子らの群れどどつと入り来どどつと出づる

猫と夕日

水墨の梅は花枝の暗がりのはがれはがれの猫の掻きあと

寝て覚めて研いで伸びしてそれからの猫と夕日を浴びゐたるかな

いま西山のくぼ間にしづむ日輪がわが寂寥の貌炙るなり

我が前に眠れる猫よいつよりか最中（もなか）の函をふかく愛する

ある夜のみだれごころを圧しこめて人に延べたるままの左手

ちひさかる羽音はすぎて手水とる柄杓（ひしやく）に水は飲みゐたりけり

光の音

河貝子（かはにな）のゆきし小溝の泥すぢもよく見ておけよをさなき者よ

耳のへをあるかなきかの風はすぎ今し落ちたり椿の花は

藪柑子・南天・青木・冬苺　冬の実なべての赤きをおもふ

陽のなかにふる雪はなの夢なればほがらに君が袖ふるばかり

白梅のかをりもほのに水茎の文ひとつ秘む嫁ぐと告げて

ひさかたの光に音のあるごとく石をうちつぐ雪解（ゆきげ）のしづく

春ぐもる窓に重たく演習の山こえてくる大砲の音

昨夜(きぞ)の雨に流れととのふ春川を見よとこそ言へ助手席の子に

雨晴れて

ほがらかに過ぎゆきにけり丸刈りの男(を)の子に女(め)の子が傘さしかけて

携帯電話の電波のせゐと還らざる蜜蜂なげく人もあるなる

カラス除けの網をトマトに掛けゐるを電柱にゐて見てゐるカラス

雨はれて水もよければ鮎釣るとともなひ行かむ人欲るこころ

松浦乙女が鮎釣りにけむそのかみの鉤(はり)のことなど思ひて楽し

揺るるともなくて草生(くさふ)に濡れてゐるホタルブクロに手触れむとす

流水の強き力にさす足のこれより先を戻らむとする

あらあらと伐られてをりつ山藤はうぐひす啼かせてありにしものを

昼の神殿

西播磨北の奥べをなほ奥つ昼の神殿（まほら）に聞く雨の音

庚申堂のやぶれ帷子（かたびら）あけみれば猿田彦はも盗まれゐたり

ご神体盗まれゐたる気付かずて永幾年を拝んでゐたよ

うぐひすを啼かせてゐたる山藤の及ぶ川面の影のかそけさ

榊葉にのせてささぐる若鮎のほそき裸身に指はふれたり

石きだにひとりつまづきゆかむかな遠うぶすなの宮守われは

なるやうになつてゆくさと神殿の中の蜜蜂(はち)の巣採りに出かける

猿田彦を盗みしものの魔羅腫れて空祠 拝(おろが)みゐたりしわれら

宮崎をトウキヤウにせむ若き日の伊藤一彦氏と神戸に飲みき

池水に鯉の乱せるかがよひが午前十時の天井にくる

高山辰夫「たべる」

卓袱台に背なをまろめてひとり食ふ子をあかあかと人は描きし

韓国五日

かささぎのきたなく鳴きぬ青山(せいざん)の陵墓は出口入口あらず

朴はパク一滴はイテキ、まざまざとこれが濁音促音のなく

海印寺に八万蔵経を観て後を渓の流れの山女したしも

扶蘇山城落ちて宮女の一千が落花のごとく身を投げしとぞ

若きらは首爾（そうる）に出でて良洞（りやんどん）の村の谷水泥鰌がにごす

濃みどりをじろりと胸に塗るやうに夏うぐひすは丈つよく啼く

子がらすの啼きつぐせちに韓国のガイドをとめの訛（なま）りうかびく

山百合の芯にすがれるかなぶんの交尾みてをり沼杉の下

立つ人の無き真昼間の電車にて黒蝶ひとつめぐりてやまず

明日香行

とぶとりの明日香川上床石をせばめて白き
卯の花さかる

斎（いっ）かれの出雲の神の事訳を言ひつつ三輪の
山の辺行きつ

三輪山の蛇のよしみと置かれたるしろき卵
に指こそふるれ

案内の明日香をみなのほがらかさ狸に西瓜
くはれたりとや

をとこさび昔の人のしたやうな明日香小川
の飛び石わたる

傘の柄に枝をたわめて採る桑の黒きつぶ実
は指をよごしぬ

旅先の玉城先生の顕つまでにOさんならむ
タバコ喫ふときも

二上の山はも見えず靄れるを狭井の佐美雄
の大和とおもふ

箸墓の濠べにしづく夏草にちひさき魚の見
えて動ける

日本の神が負けたといふことの凝らむとして陰陽(めを)石撫づる

晩夏つれづれ

莫蓙山の五尺の杉の芯首を利鎌の先に打ち落としたり

夕されば明日アユ漁(と)る刺し網の破れ千切れの繕ひをする

網に光る鮎を双の手につかむいのち摑むといふがごとくに

音しなく晩夏を雨の降るものか小豆の花の揺るるともなく

隠岐とほく配流の途次の杉坂や紙梳くわざをかそか伝へて

裏山に夕なつくつく啼く蟬のつくづく人を疎むこころよ

逆光のあしたの網にうかがへる逆さの蜘蛛はわが前にあり

海の上をこえ埋め立ての街に行く玩具のやうな電車にのつて

瀬戸の海の山のホテルにふたりきて雲押し開く月もみるかな

歳旦の雪

里山の宮居の裏に雪しづり青く小さな鳥ひとつゐる

歳旦の雪に明るく陽はさしてひとかたまりに雀ら啼くも

貂の巣と人こそ言へれ神の座の枯葉かき出だす山の祠に

積み浅き雪のあしたを小さかる鳥のあしあとひとつらくろき

あめゆきの浅瀬にのがれ斃れしを牡鹿正月三日を撃たれ

雪山を後退り（あとずさ）つつゆく猪（しし）の自（し）が行く方の惑はしならむ

たまきはるいのち輝ふごとくにも山の引き
水桶をあふるる

パソコンの肩の熱気に背を寄せて雪の夜更
けを猫は寝るなり

しらじらと人の疎みの凝(こ)る夢や肩ひやびや
と目のさめてゆく

鼻の座を指に圧さへて洟(ひ)ることの見ずてひ
さしも死語のごとくに

とほき一人に　谷川健一大人に寄せて

わが鮎の終(つひ)の食(じき)とぞなりおはすほどなく逝
かれたりにしことに

「猫の歌覚えてゐるよ」「『露草の青』送るか
ら」「鮎ありがたう」

青銅の伝播の道など言ひつつにおそき絆を
惜しみなされつ

満月の瀬のかがよひに打つ網に鮎はとるな
りとほき一人に

うぶすなの神饌（みけ）とささげむ落ち年魚（あゆ）のさび
くろぐろとして嵐すぐ

谷の鈴音

言ひ果（おほ）せて何かある　芭蕉の言ひの事訳を
軽くなぞへてばかりあり　言ひ尽くしてぞ
なほ何か　余りあるともめぐらせて　駝鳥
のごとく跳べざらむこともしぞある　ゆき
行きけば露草の青　谷川のさやの鈴音の聞
こえきて　天の慧（さとし）のごとくにも　一首眼入
れの飛翔に到る

花ひいらぎ

花ひひらぎ一枝を捨ててゆく路に棘葉の刺
しし指傷ましむ

壇上に相貌そむけゐられしとふ鼎談の場を
われ知らずして

塚本邦雄全集一巻末消化読了して味爽暴発
の夢見

百号の前衛抽象画布二枚拝殿に置くを人ら
訝る

待つことのきはみのごとく問ひかくる神祠（しんし）の下の蟻地獄の窪

吉野、故前登志夫家を訪ふ

トンネルを抜けてし見上ぐ尋ねたる人はここをし上れと教へ

そこそこと出でて指さす老女あり吉野清水（きよみづ）前家の留守を

車体なき小さな車庫の古タイヤどた山靴は置かれてありき

人気なき遣戸を開けばぽたとして守宮は落ちきわが靴の上に

捨てられむ留守の戸口の段ボールに歌誌の名かかれ「玲瓏」を見ず

呼ぶ声に跳びけむことか家の前の槙の青葉の斜面（なだり）見下ろし

よしのよし吉野下市清水の前家の倉の破れ蜂の巣

だらにすけ陀羅尼助とぞゆくみちに買ふこ
となくて吉野へ急ぐ

ゆれゐるはしろき椿かたが影か柿の色葉の
ちりつぐ風に

虎杖のちぢれの花をまざとみつわすれてゐ
たることのごとくに

横伏せに岩根し巻かむかたちして抱く枕に
たたす人麻呂

飛び石

かたくりの開花はさくらと同じよと言ひて
いざなふ三椏の花

靖国に桜苗木を頒(わ)けたりし帰還兵吉松さん
のその後をしらず

わが二十歳、植ゑし桜の純情に圧すも老幹
手のひらの触

日のなかに唸る羽音は蜜蜂の来ずなる桜た
だ咲くごとし

飛び石に散るはなびらを踏みてゆく書庫に
あなたの歌集をとりに

都鄙かよふわが歳月にめぐりくる春増し水
の音は聞こえて

夏　萩

小走りの神女（みこ）の千早（ちはや）の裾ふれて萩は夕べの
花ちらすなり

石山の石の根方の秋萩の花枝の前のほそほ
そき踵（かかと）

ふたりして歌ひゆかむとたまきはるいのち
うつつのししむらむすぶ

冬の鄙歌

ひららかなる白磁の皿に桃ふたつ硬き歯型
のままを残れる

門先の八つ手冬葉を食うてより夜更けて鹿
の雪かづき寝む

夏来れば早瀬に鮎は釣るものを冬はつとめ
てモルダウを聴く

書庫の背の掃き出し窓の破（や）れ障子猫はどこ
かへ行つてしまつて

青棘が延べたる右の手の甲に冷たくふれて
柚子の実つかむ

結ひ髪のほどけてからむ二の腕をちからと
もして身はおこしたり

五月の風

庭のべの小草は花に萌えいでて猫ゆうるり
とほの噛む五月

桜散つて今日は街にしゆかむ日よ蔓紫（つるむらさき）の咲
きみつるころ

宴席のそこのみ一つ空いてゐて座ればほの
と君はありにき

まきしむる長きおゆびとおもふかな箸に唐
揚げなどとりわけて

花の香やいつしか君が右にゐて神戸元町そぞろのあゆみ

身の籠にひそめる虫も鳴くらむか夜半のひとりを呼ぶ声のして

この太くかぐろきものを見よとわれは筍なんぞ掘りて届ける

野の猫が小水かけてゆくことに遠くはなくてこの支配欲

うつし世にふたつ在り処(ど)をてらす陽のつなぐ雲間をわたる鳥ある

行く雲に粗き男のやさしさを欲りつつ消してゆく初夏の窓

君が生(よ)の六十余年をひきくるめいま全存在として一夜さ一日

たまきはるいのち惜しめばみそかにも少し咎あることゆるされよ

柄のくろく巻いて小さな傘ひとつ昨夜(きぞ)よりここの傘立てにある

渓の火垂

荒れ水の後のほたるのあやふさにこの渓あ
ひのひかりははげし

夜のたけをひかりうすれてとぶ火垂おつる
草生(くさふ)の露の暗きに

嬰児(みどりご)もまじりて黙しそれぞれに渓のほたる
をみてゐたるかな

まあ、素敵　ほがらの声の聴きたさに渓に
きたれば火垂飛ぶなり

一つ灯(ひ)の流れ離るる罪の数　葦の小舟をよ
ぎる火垂あり

事了ふる茅(ち)の輪を鉈に解くわれか解いて燃
すべし咎のぬめぬめ

掌(て)に囲ふひとつほたるの明滅をわたさむと
してたたす面影

鮎ほぐす指

夏真昼、笹むらゆるる音のして潜むけもののしじまは深し

街に鄙にふたつ離(さか)りて食べてゐる一人ひとりのそれぞれのトマト

合歓咲くとわれいふ、まあ、ときみの言ふ山巓にきて車かへすとき

比叡の嶺をかよふ杜鵑(とけん)の声はして湖面に夏のさざれ日そそぐ

てのひらの葡萄のふさの重たさを水にうたせて在りたきひとよ

日ざらしの柚子の葉むらの葉隠れに黒き蝶ゐて翻(かへ)るまつぶさ

あひ見てのまたのめぐりのながければこころのこまを早送りする

あるべきはプラハの町の馬車馬の太かる脚の確かさならむか

竜胆は平瓮(ひらか)に添へてあるものを差し伸べてほそく鮎ほぐす指

落人の郷

椿象は交尾のままを死んでをりかたみに外へ引きあふやうに

子安の実はぜる真昼の一つ家にタクシーながく停まりてあるは

石段にからぶ蚯蚓を掃き捨てつ何に怒るといふとなけれど

かれがれの棄て小畑に雨はふり葵のあかき花に寄らしむ

落人の郷のはづれの炭小屋に釣舟草は咲いてゐたりき

藤原の墓ばかりなる里にして夏には射干(しゃが)の花を咲かする

秋桜の花をしきりに揺らしめて熊蜂の背を風わたりゆく

天つ日の溜まるきりぎし空とほく架けのこされしスチールの梯子

落としぶた文化鍋とふなべありき上り昭和を母の声して

廃屋の破れにみえて微笑めるカレンダーは
もそのくらがりに

入る渓の底つ露天のぬるま湯にわれのひと
りに虻ひとつ回(めぐ)る

生類Ⅰ

唐突に水のみどりを突き出でし黒き羽ぶき
がわれおどろかす

荒れ沙に食はねばならぬ川鵜らの動くとも
なし雨に濡れつつ

天津日の瀬の面(も)みだれて水切の音はげしら
に蛇こそよぎれ

野薔薇(のいばら)の岸辺をすでに侵したる泡立ち草を
見下ろす熟柿

姫金神(ひめこんじん)のすごき障りを案じくる婆を祟りに
おどしてゐたり

黒き服着くる男のささやきに泥む処女(をとめ)もあ
るとこそ知れ

濁流の過ぎにし岸辺に残りたる柳は水にふれやまずけり

ネズミ捕りにネズミが七つ死んでをり神の厨の米食べにきて

トマト若葉を吸ひに吸ふなる天道虫（てんたう）のわれが殺気にころんと落つる

四つ五つ真桑瓜（まくは）若葉にかたつむり着くを剥がして捨つる他所（よそ）畑

生簀にぞ小蟻をつまみ入れたれば瞬時なるかなカワムツが食む

真夜中のわれにぞ馴れて出でてくる馬追のあり肩にのるまでに

誰彼を拝むかたちに手をあはせ姉のならひのすぎこしあはれ

歌会にともなふ婆の言ふならく「ちよいとおあそびしてきます」

さ庭べに鹿の食はざれば咲く花の馬酔木、野豌豆、蔓日日草

卯の花の花びら指に二分けて流る水（み）分かれ源の水

都鄙かよふ

鴉ごら切なる声に巣離れて移りゆくらしこの杜山を

都鄙かよふ幾年かさねしろがねのバックミラーに落暉を映し

鄙住みも世棄てにあらでゆく道を過ぎる老婆は逆光のなか

草分けて庵の主の飲みにけむ葉むらの陰の水音をきく
西行終焉の庵跡に

夜の窓に子蛙いくつのぼりきて名のなきごとく羽虫を食べる

この郷に百合を咲かせむ若者の嫁を欲しがる初夏の水のべ

すがの根の乱れて露（あら）は濁流のすぎし三日の水はこぼれて

葉葉の間を空に向かひて直ぐ立つはミサイルならで笋（たかんな）なめり

警報を解かれし雲の鬱はれて猫と踏みゆくこの月あかり

*

高空の鳶のめぐりに都鄙かよふ風あたらし
き村こそ思へ

これが世のレタスを作る健君が嫁をもらつ
て行く花堤

街の灯を浴びて還れるわが髪に防犯灯に降
る雪はげし

お日待ちと人ら集へる午後五時をながらな
がらに斎（いつ）く言の葉

砂漠の神、瑞穂の神の事訳を話してゐたり
使徒のごとくに

入り来りこの山里に商へる女男（めを）こそよけれ
鯖寿司よかり

踏み跡の窪はうすらの青あかりして雪原を
ゆきしものあり

わが猫を葬りし庭の土盛りを教へて春の雪
は積むなり

葉隠れの蟬

葉隠れにじゆわんじゆわんとなく蟬のところも知らぬ恋もあるかな

ふともして見えなくなれる時さへや花を埋めて待つことのある

結ひ髪のとけてふりくるかんばせを眼はみつめたり髪の間(あひ)より

結ひ髪の解(と)けし眼(まなこ)のまつぶさに全て奪へとかぶさりきたる

雲に月、夜更けてあかき街川を帰りゆくなり今日をわかれて

かうもりのさし交ふ月のあかるさをあふぐ歩みのひたすらならむ

「眩」米口實氏、逝去さる

うすれゆく意識のきはをのぶる掌(て)に辛夷の花は散りてあるべし

逢ひし日の峪に辛夷の咲く春をつづりましけむ万年筆はどこに

『国歌大観』先に貰はれ欲しがれる一人男の子のしかたもなくて

虚と実

言の葉もかげとうすらふ霜月の手に重たかる葡萄ひと房

樹の蟬がわれにみられて横動きすることなども浮かべて眠る

大雨の穿ちの水に水黽（あめんぼ）のふたつがゐるをみて街へゆく

あかあかき肉を啄みゐしものの知らぬ素振りに遣りすごされて

国生まむとほき見立ての岩柱あなゐをとこよわれ身ごもらせ

虚と実をすり鉢にいれ形無くなるまでを擂るとろろ汁

かはせみのあを曳いて消ゆ河上へ霧たつ橋
にわが指させば

椀に受けあふれて新た飲む水の男(を)の子ごこ
ろは口にこぼれて

彩

少女子(をとめご)の香りもほのにうすら黄の賢木(さかき)小花
は掌に乗せてみつ

茅一葉ゆれひそかなる金(かな)ぶんのわれに視ら
れてみじろぐ交尾

ばうばうの紅こそよけれ大合歓を岩間に仰
ぎ鮎釣るわれは

みづくきの賞状幾枚書きし手の墨あはあは
し水にすすげば

「あります」の声のすず音ののこりゐて青き
ひかりの細胞あはれ

玄関の隅にひらたき女靴置かれてひとつ
喪の星明り

あを鷺

まろびきて白々そよぎあるものを兎の耳と
まがふ初夏

空梅雨の光ひらたき棄て畑に物置小屋の戸
は閉ざしあり

木々の間の風に流るる一条(ひとすぢ)を蜘蛛の巣掛け
の術と知るまで

蜜蜂の絶えてし来ざれ梨花一枝雄蕊は徒に
そよぎてゐたり

桜の実ぷつぷつ踏んで降りてゆく滾つ荒瀬
に鮎は釣らむと

かくすればかくなるものとたぎつ瀬の一番
鮎の手応へよろし

鰓のへの黄紋しかとかがよひの湖産の鮎の
つぶら目とあふ

わが籠めし生簀に鮎の跳ぬる音聞きつつ街
の君思ひつつ

釣りて来し鮎幾匹のすべらかを神にささげ
て六月祓(みなづきはらへ)

薄墨の因果のごとくあを鷺がこのごろ村に棲みて啼くなる

アユ放流のうた

和歌山の稚鮎乗せたる八屯が朝（あした）を来り五分を遅れ

荷台には四五〇キロの稚鮎ゐて幌静かなり声なきものら

あこがれを得たるごとくにトラックの運転室をわれはよろこぶ

川行けば水漬く軍手にゴム長に初夏の渓べをアユ放ちゆく

和歌の浦ゆ運ばれ来たる幼きが滾つ早瀬にまぎれかゆかむ

水べりに降りられざるは橋上に水ごと鮎は投げ放つなり

心なき護岸工事よ大アユの馬の瀬・鞍淵までを穿てり

千種川漁協委員などしもするわれは漁網行
使の集金にまはる

手の平の鮎に金串さすときに小池光氏の貌
か浮かびく

初夏の鄙うた

あれ、蟹が　浅き水辺に　三つ四つ七つ八
つゐて　あちらより寄り来るもあり　何な
らむ　蚯蚓とみえて　よくみれば　蛇腹の
あるを　小蛇なる　頭は鋏にはさみつつ
赤きが黒きを食べてゐつ　騒ぎてありし子
等の眼の　声なく目守(まも)り　ひさかたの初夏
の光の谷水の　音こそ清ら　あかあかき鋏
に黒き身をちぎり　長き細きを食べあるを
　ただに目守りてゐたりけり　かくてかく
行きて帰れる次の日の朝の光もあけあけと
昨日(きぞ)の行方のいかならむ　探す水べの透く
ばかり　蟹も小蛇もただ無かりける

反　歌

昨夜(きぞ)あけて蟹も小蛇もただなきは毛のある
ものに食はれしならむ

瀧つぼに龍の穴ある謎さへやとけてうすれ
て消えてゆく村

神楽面

夏草を流れ来たらむ黒蝶が張りのゆるべる
太鼓に止まる

うす黒く光る神楽の女男(めを)の面残りて一村一
社を閉づる

神主の敲く太鼓に舞ひしとふ春名、坂本
廃鉱の里

違ひ棚に神を離れて置く面の怒るがごとく
笑むがごとくに

鬼の面着けてがほがほ言ひつつにをさなご
三人を泣かす良寛

葉桜に絡みて空に開きたる糸瓜の花の黄の
ひらたさ

*

あやしくも青き藻生ふる丸石にさがす笹葉
の鮎の食みあと

上流に鮎食ひにこし鵜の一羽流れにうかみ
帰りてゆくも

半日に釣りし早瀬の鮎五つ御嶽の山の神に
ささぐる

ゆく川の流れは絶えて混凝土（こんくり）の水は溜まり
の映す夏雲

これが世に村の消えゆく必定を受けてたえ
ざる滝水の音

街の蝉浴びて還れるわが背なに染みて夕べ
をかなかなの鳴く

湧く水にいまだも眠る潜在のいのち汲み出
だす歌をこそ欲れ

鼻高

夏雲のかがよふ嶺や釣るわれや葛の葉裏に花総見えて

特攻機の並びか行かむ赤秋津　夕夏草はうねりの上を

急旋回したるたまゆら光れるが芒穂波の夕日に消えつ

西山に巌のごとく雲立てりかがよう肩は神かもしれぬ

棲み分けて明けを蜩鳴きたつを間なくし鶯、鴉が続く

設へし古き湯舟の生簀にも馴れて油鮠（ごとんぼ）が飯つぶたべる

行平に口付け酒を飲む婆の舌なめづりせし昭和の半ば

裏山に何啼くならむ不如帰久にしわれは哭くを忘れて

廃村の社に在りし鼻高をかざしおらびて幼なを泣かす

黒雲のおほへる川辺生ぬるき風吹き出でて
竿納めたり

因幡路

みづくきの筆のかたちを言ひつつに筆柿と
ふをくるる柵ごしに

因幡路はテントの椅子にかけ眠るまつたけ
売りに蝶々が止まる

大樫は葉葉の高きのあかるさにまとひてや
まぬ白蝶ふたつ

生きるとはかくなることに放さざる強きに
ぎりよ幼な子の指

桜葉の散りし高枝にからみからみ糸瓜は花
のひとつを点す

手洗ひの流しにすはれ消えたりし蠅取り蜘
蛛の行方を思ふ

一面はテロを伝へて繰る指に故なく触れし
かめむし臭ふ

会席の畳にちちろちちろして並ぶ膝元にしたしも守宮

身をよぢり笑ひ笑ひし語らひの過ぎこしとほく咲く風信子(ひやしんす)

釣りおきし冷凍の鮎とり出だし焼きてぞ食(たう)ぶ今朝のひとりに

生類II

屑の花上向き咲くを指に採り犬にかざしてゆく男あり

うらがへり墓石にうごく金(かな)ぶんをみづからにして愛づるをさなご

ものの餌(ゑ)も良し悪しあれば老い猫が良しの置き処を見上げて鳴くも

線になく面を釣れとぞ言ひつつにたぎつ早瀬に鮎釣るわれら

生田神社　曲水の宴　題「風」

かがよひはわが肩に降りはらはらと風の散らせる葉々の置き水

早　春

子安の木にいまだも寒き風わたり春はまつりの石段のぼる

やぶ椿の一花は戴れるそのかみの農村歌舞伎の礎石の上に

おのづから上下ありて村役の若きが一人を待ちかねてゐつ

甘鯛を載すればあはき緋の色の春や真白の神供の皿に

警蹕に神呼ぶごとくわれはまたとほ産土の扉を開く

でこポンの皮のごぼごぼ重たさを捧ぐは今日の確かさならむ

男の子ごの相撲を見つつ女童(めわらべ)がさもほがらかな声によろこぶ

老い猫が炬燵に粗相をし始めし冬か過ぎなむ恕すこころに

ヘリ一機あらはれ過ぎて静かなりとほき砂漠に人殺し合ふ

祭礼の一つをし了へ行く渓に春増し水の音は聞こえて

平面

両の掌(て)を受くる形にさしのべて女(め)が男(を)の後をゆく冬の畑

諸鳥を啼かせてありし山藤の蔓あらはなる冬木木の上

発電の神と斎(いつ)かむアマテラス　ソーラーパネルの居並ぶ丘に

うぶすなの庫(こ)の下壁は石の隙(ま)を冬の日そそぎ蜜蜂(はち)の出で入る

この川に食はねばならぬ鵜の三羽冬涸れ涸れの石を動かず

玉城徹、沼津は地下の居酒屋に

割箸の袋に歌は示されて問ひなされけり平面として

人の死をかなしびきたるわが脳(なづき)をひとゆすりせり朝の地震(なゐ)は

あとがき

第一歌集『九月の鮎』を五〇歳で、第二歌集『鄙さかる』を六〇歳で、そして八年、牛歩の私、ようやくに第三歌集をまとめる期が熟したことを噛みしめ思う。この間の歌、平成十九年（六十歳）からの所属誌「眩」「玲瓏」「八雁」に、また、「短歌現代」「現代短歌」「短歌往来」「現代短歌新聞」「うた新聞」などに発表した短歌四二四首、長歌二篇である。ほぼ制作順に置いたが、歌集名とした「佐夜の鄙歌」は全体の構成上前に置いた。

歌集名『佐夜の鄙歌』の「佐夜」は播磨風土記 讃容郡（さよのこほり）の「佐用都比賣（さよつひめ）」「五月夜（さよ）」に借りた。郷里、「佐用」の地名の起こりであり、唯一古文献に登場する呼称として愛着をもった。改めて今に思えば、学に志しての國學院大學での十一年間、兵庫県に帰って、阪神間での教員生活の間も、幸か不幸か、負い持った神職の後継であるといった郷里意識が常にあった。この都鄙通う在り方は今も続いている。地域社会創世の取組みも必至の状況であるが、全国的に、消えゆかんとする山里にあってその存在態を詠うことが、今日の日本にあって、私にとって、負った使命のようにも思われるのであった。

こうしたいわば「個別」の「もの」、「こと」が、「普遍」とどうつながるのか、時代、歴史のなかにどう位置づくのか、今日の短歌状況にあって、「地方性」ということは、「負」のことというよりむしろ「生」の再生といった積極の意味を持つのではないか。原発による放射能汚染の浄化の困難は傷ましい限りであるが、自然の破壊にすらも天地自然の浄化力、再生力を期待するのである。

三十八歳の頃、現代詩との齟齬をきたし、「ポトナム」に入会、潁田島一二郎のもと写生、写実短歌を学ぶ。穎田島一二郎逝き、平成四年、玉城徹「うた」に依る。併せて、兵庫県下での場として、米口實「眩」に。玉城徹「うた」解散、米口氏の逝去を機に、平成二十三年、マンネリ化、類型化した作風を荒治療する必要を思い、かつて対極にあったと思われる「玲瓏」に入会。さらに、平成二十七年、「八雁」に入会、現在にいたる。

「私」にとって短歌とは何か、「よい歌」とは、「在るべき歌」とは。若かりし頃受けた歌への感動に巡りあいたく、探すように種々の作をみてみるが、自分を含め、そうした作品にそんなには出会わない。それはどこから来るのであろうか。種々の歌評をみても、筆者の激賞が何かそらぞらしくみえることも多い。前衛派であれ、伝統派であれ、作品としていいものは好い。取りとめもないことであるが、いつしか私にはこうした超結社的な感じ方ができてしまっている。歌論、歌評というものはあくまで「よき歌」に向けてのことに資し、「歌」への愛情が基底になくてはならないことであろう。得てして自分の歌がみえにくく、自分の今がどこから来ているのか、折に己が過ぎ来しを辿ってみるのであるが、多くの方々に刺激を受け、啓発され、恩恵を受けつつも、そのどこの一点に行き着くというよりも、それら関わった種々の要素が咬合し、一つの総体がそこにあるばかりである。

短歌というもの、読者との共有あってこそ作品となるのであろう。この拙歌集、お目通しいただきご意見を頂戴できれば幸いである。

当歌集を編むに当たり、阿木津英氏、中川昭氏には、はっと気づかされるご助言をいただいた。ながらみ書房、及川隆彦社主、為永憲司氏には丁寧な編集・校正を、また同郷のイラストレーター中野邦彦氏にはこの度も心ある表紙絵をいただいた。深くお礼申し上げる。

平成二十八年三月四日

安藤直彦

自撰歌集

『九月の鮎』（抄）

あをのなかより

ゆつくりと垂りくる受けて桶はあり縁より水のひかりこぼるる

負ひ傷を舐めつぐ猫の舌に吹くいたくしづけき風もあるなれ

さはさはと滝をつつめる楓（かへるで）のあをのなかより抱かんとする

つぐ水にあふるるまでの音は急き瓶の咽のほそきすずしさ

たまさかに歩けばながき川沿ひを歩まむとして帰りゆくなり

日のさかひ影のさかひと八月のあぢさゐ咲くを過ぎて思へり

伊師（いし）の里

頻波（しきなみ）のかがやくころとなりにけり捨て小ばたけの朝の間の露

わが抜くる間を郭公の鳴くを止めこもり見てゐむ葉むらの中に

播磨の国讃容郡（さよのこほり）、伊師（いし）の里に升（とりのあしぐさ）麻生ふとこそ記せ

をとめごの熟れ柿ひとつ双の手に神あるごとく包みて受けぬ

水は桶にあふるるかなや石の間の蟹の甲羅にうちそそぎつつ

ああああとふくろふの子が口開くと話しき母の山を下り来て

野にひとり立つうしろより大いなる影はよぎりて鳶と見えゆく

二十歳

再試験の汝がためひたに駆けゐたる遠き自
発のわが心はも

九段坂二十歳のわれがわがための背広を買
ふと下りて行けり

夕光のひたに研究室を冒しつつ並びて富士
を望（み）てゐたるかな

さりながら青年われの純情に〈日本列島改
造論〉うつくしかりき

煙草はた裸電球の芯も切れ「神曲　煉獄
編」読み半ばなる

食ひ逃げして夜桜祭の列に入りし科（とが）も時効
となれる東京

九月の鮎　Ⅰ

撓むるとなく張るとなく糸を引く九月の鮎
の水にまぎるる

スメタナのモルダウ思へ思ふべくたぎり早瀬に鮎釣るわれは

掛け鉤の刺しにし指ににじむ血が清き川原の水に落ちたり

掛け鉤に傷めしあゆも潜むらむ水音高く夕づきにけり

あはれあはれ清き流れに精を放つあゆどちを見てわれは去りなむ

神供の皿

坂の上のあはしまさまよ祀（まつ）らむに子安のあかき実はほぐしつつ

夏柑を神供（しんく）の皿に盛るときのこぼれんとして保つ言の葉

平皿に盛る粗塩のきらめくを薄暗がりの神にささぐる

子授けの神を斎（いつ）けるかむなぎにその子はなくて犬ふたつ飼ふ

照れる葉のみどりの思想ひややけくこの
祈年祭（としごひ）の真榊を採る

ゆるき三拍子

雨やみて濁れる水の増す川をビーチボール
が岸寄りにゆく

湖に育ちし年魚の放たるる川に風のあり芥
子菜の花

思ひ思ひに好みの花を摘み放ち流れに競ふ
下校の子らの

はづみつつ車道を越えてくるボールの若草
色のその春のかげ

三月を生徒をらざる屋上にチャイム流るる
ゆるき三拍子

夜の卓

店裏は凪しづかなる花垣に小鳥らのゐてわれは子を待つ

沈丁花にほふその名を子は問へり駅への道に路地をゆくとき

縁の子をけ落とし出でしとふ西行を浮かべてをりぬ遊ぶ子のそば

をさなきはをさなきながら夜の卓にあはれ「わたし」と言ひはじめたり

ながながとニセアカシアの街路行くわがモラトリアムの未だ果つるなく

夏椿

今年また朝のトイレの裏に鳴く虫ひとつあり人には告げず

勤務時間を過ぎて残るを若きらの熱意とはせず夏椿咲く

うつさうとうつくついううつうつうつと高
校のころか知りし鬱の字

夕顔の花のあはれの拠るところ「夕顔の巻」
の授業に入る

雨晴れて出で来し蝶をすずめ子のたちまち
くはふ舗装路の上

夏真昼たちあらはれて玉虫の茄子の畑に消
えゆきしかな

力石

白壁にちすぢの蔓の浮きたちて蔦のもみぢ
は燃え落ちにたれ

かがよひは符牒のごとく内ふかく排水口の
レンガの壁に

行く径のあかるき水の上に翔(た)ちわが行方を
群れ蝶ふさぐ

帰り来て寝ころび開く『帰潮』なれ佐藤佐
太郎「て」を多用せり

台風の過ぎてし庭の月に浮き力石の凸　石臼の凹

いつよりか庭に置かるる石臼に水を満たして嵐すぎたり

鮎釣ると

岩の間に漬けしあゆ缶ひそけさの暗きに染みて鮎ふたつゐる

大アユを小アユの追ひて夏の日に生(お)ひゆくものの食みさかんなる

合歓の花映る瀞場の水の面を分けひたひたと鮎引かれくる

鮎釣ると中洲に長くる草の秀(ほ)のいきれは強き性のにほひす

アユ釣りて暮るる川瀬に見上ぐれば鳥はめぐれる夕つ日のなか

冬の虹

武蔵の「枯木鳴鵙図（めいげきづ）」の館出づれば宮本村
に立つ冬の虹

うばたまの夜守（よがみ）・公徳（くどく）の峠駆け歌詠むひと
りを訪ふ雪あかり

歌はれの主はたれぞとただしくる香水「沙
棗（さそ）」の血の色をして

手のひらになづるがごとくうつごとく竹の
ほつえの月にゆらぐ

杉が枝の雪はたと落ちあかるさのなだるる
朝や尉鶲（じょうびたき）ゐて

山上に残れる月の弧を照らしはるけき嶺を
日はのぼりたり

学　校

職員室の窓ぎはにして棘のある蓖麻（ひま）の実を
干す社会科教師

校長の代はれば変はる職員室のコピー機の位置窓のスイートピー

喫ひをれば一人のきたり換気扇の下に一言二言かはす

樟の実の落つべくなりて学校の駐車スペースひとつ空きたり

この度の外人教師は冬ながら団扇持ち歩くはた教室へ

雨にゆれマツバウンラン野の花の帰化十年とぞ校庭に咲く

チョーク箱に弾のごとチョーク詰める教員われの朝のこころに

合掌のかたちに仰ぎ玉虫の夏の校舎に置くごとく死す

壁に張る鏡の角がプリズムとなりて机の上を照らしぬ

生徒

病む父を持ちしころよりわれに向くる生徒の言葉うつくしくなる

寝ね足らず声の徹らぬわが授業をじつとみつむる女生徒ありき

小論文の書き方を請ふ生徒来て眼を養へと言へば帰りぬ

部員らの名付くる〈山岳大明神〉部室の地図の上（へ）に掲げあり

推薦の試験に落ちし日のなれのわれに見せたる笑みを忘れず

偽もののわれのままにて別れると言ひゐし生徒を窓に見送る

地震（なゐ）のあとさき

大揺れにいすくむわれに聞こえたる子を呼ぶ声は妻にありしか

本棚が先に倒れてピアノより子供と妻がはひ出してくる

大地震（おほなゐ）の裂きにし路を噴く水にめぐりゐし鳥いつしかをらぬ

大地震に崩れしビルの路地ゆけばガラスの歌もこはれてゐたり

じやがいもなりと送りませうか龍ヶ崎の和歌森君が電話をくれぬ

物資とふことにも慣れて持ち帰る今日はパックの安曇野の水

銭湯のあるとし聞けば子を連れて行きて帰るに一日をかける

名にし負ふ花鳥風月こもごもに見えざるものが横揺すりする

この村にもおよぶ余震の後先に夜の樋（ひ）のほそき水の音する

さくら石

雪水の清き渓間のさくら石を父の歌碑にぞせんと選(え)りゆく

山どりのここにのこして立ちゆきしぬくもりを思ふ芒枯生に

抱卵の冷凍鮎をまた一つとり出でにけり春のひかりに

高野道

紀の川に鮎釣る見えて行くわれの帰りに桃を買はむとぞ言ふ

山すその井堰が上の奥かには水しづかなり家鴨二羽ゐる

朝の谷間

つゆぐもる朝の谷間を中空を蝶のたちゆく明るき方へ

鉢に立ちかをりすがしく洋ゆりの羞（やさ）しきまでに蕊みするなり

青梅の手にとどかぬを枝ながら叩き落せり女なりけり

波の秀

水ぎはのはらみの猫が波の秀に手を伸べて引き首をかしぐる

新しき眼鏡に仰ぐ山藤の見るべく見する花の輪郭

感情のあるごと泡の生れて消ゆ山より引ける水のたまりに

石の上に両の手たらし寝る亀の無為きはまれば石投げてみつ

桜の実さはにし落つる夕やみを行けば音たつる靴の下にて

さあれあれ

ふっとして落つる百合の葉見てあればなにしてるんと生徒らが言ふ

糸やなぎ芽吹きはじむる橋のへに人の逢瀬を見てすぐるなり

訪ひ来ればグラジオラスのあかき花弓状（ゆみなり）なして壺にささるる

をす猫は家を出づると母の言ひ妻が言ひはた子が言ひはじむ

今日よりは冬の背広となす朝のめぐりて三年逢ひを重ぬる

さあれあれわれに一つの欠落のありて朝夢を襲ふことあり

秋の日

秋一日斎(いつ)けるわれかさやさやに紙垂(しで)吹く風の時はるかなれ

瀬の尻にをさなきものら餌(ゑ)をつつき口さへ見えて秋の日あかる

さ夜ふけて渡れば月のあかるきに従(つ)きぐる白き猫とあゆめり

音なき雪

思ひ寝に消したるのちのストーブがとろりつぶやく声をたつるよ

日の中にかくあかるくも降るものか音なきことも不思議の雪は

あれは何あれはなにとぞ雪の夜をほっホほっホと鳴くが巡りつ

関脇の肩捕(かたと)つたりを見しあとを壁の冬の日いきなり剝がる

切りぎしは赤埴あらは染み出づる水の凍りて山に音なし

たはむれに死ぬかも知れずやはらかき緋(あか)き襦袢に降る雪を見て

猫の座布団

グラジオラスの茎間にゐざる猫を追ひあそぶ月夜の影のしたしさ

丸臥しの形にへこみ傍らにそれとして在る猫の座布団

ものの具はロビーの卓に開かれて猫の和毛(にこげ)のつける風呂敷

はからずも畳にあをき脚ふたつ夕べ襖に鳴きゐるしものは

鏡(かむがみ)のながらの神の男(を)の子ごがあはれをとめにあしらはれたる

大津絵の文政二年のこの絵馬に描かれし子鬼困り顔せり

生類 I

かたや咥へかたや刺しつつすすき穂の上に動かぬあきつのとなめ

ややに嚙みややに抛(はふ)りて馬追虫を猫なかなかに喰らひかからぬ

桐一葉　桐を知らない生徒らにさしあたり窓の青桐を指す

二日にて三人の女とまぐはふは夢見ごころも埒外のこと

とつぽんと音せし方の水の輪のうすくらがりを亀沈みゆく

山墓に橋のたもとの人ら来て巣掛くる蜘蛛の糸吹かれゐつ

残されし脚立に巻ける自然薯の伸びゆく蔓が宙をうかがふ

抱かれてねむれるならむ照る月に虫の音ほそくとぎるるを聞く

生類　II

鼻先の化けたる鮃水槽の砂に動かず目をわれに向く

敦盛魚・直実魚という魚が須磨水族園にともに生きをり

身の丈のかぎりを伸ばし蝸牛(まひまひ)の橋の手すりの途切れまで来る

伏す鹿は桜赤葉の日をあびて発情遂げしやさしさにあり

なにとなく投げたる石が石を打ち翔ちも翔ちたる鷗ひしめく

庭石のひとつとなりし石臼に猫が水飲む八手(やつで)葉の下

外灯のぶりきのかさに張り付いてうすばかげろふ千切れつつ乾く

うがひ水に跳ねてはえ取りぐもの消ゆぼごぼご音を立つる流しに

青柿の高きを落つる音はしてふりむくわれに蟬当たり鳴く

裏返りかなかなひとつ乾きゐる朝の光の及ぶ畳に

鮎釣るとわたる早瀬の岩窪のたまりに浮かび死せる玉虫

彼岸花群れ咲く道をもどりきて春仔の犬に生理始まる

午睡より覚めたる乙がしろがねの匙に食ふなる襖のむかう

都鄙問答

六月の花の白さを言ふひとに冬の実なべてあかきを話す

地下街の花舗に置かるる水槽のあかるき泡をくぐる葦登（よしのぼり）

街がらす子がらす鳴けりビルの間の巣立ちの楠のざわめきやまぬ

彼とわれ背なに甲羅のあるやうな棒立ちにのぼるエスカレーター

音楽科に一人なる男子休みゐて最期となれる授業を終はる

農業科の男子生徒の運び来るわが着任の日の鉢のプリムラ

高速道の山たかまり来ふるさとは切窓峠の霧たつ向かう

帰りきし小部屋の窓にすかしみるひとひとりあり山の向かうに

西播磨深山（みやま）のすそにつづきをりかつて皇女の行きしこの道

都鄙かよふいづれも仮のふた住まひ中国自動車道播磨野をゆく

老いふかみ父母いますふるさとに落ち行く前の鮎釣るわれは

この村のノラとなりたるシャム猫がミイ子を連れて田あぜにあそぶ

篠笛（ふえ）のごと鳴く音を真似て尾根つたふ牡鹿を語る山の男は

ふるさとがわれを潰すといふことの都鄙問答の果ての満月

たちふさぐ山かげ厚くふくる夜を祈りの太
鼓きこえはじむる

かくてまた出づるふるさとバックミラーに
映れるものとして父の在り

待合室にバス待つ母の頭みゆとほく山脈(やまなみ)は
雪をかむりて

大祖(おほちち)も故郷なるもはた神もわれは負ひ持つ
解きがたきまで

九月の鮎　II

彼岸花咲き出づるころ釣るべしと九月の鮎
を人教へきぬ

富士が嶺の湧く水あれば飲むわれに沼津の
人の目もそそがれつ

旅ながら玉城先生が二夜さのわが夢にきて
鮎食べおはす

雨の中に虫が音ひびく暁(あかとき)を夢よりつづく歌
作りをり

ひよどりの花枝に響む声たつと心はひとの
名を呼びてあり

『九月の鮎』解説

米口　實

一冊の歌集を読んでいると風景が見えてくる。それも第一歌集というのは今を通過するその人の出発から現在までの風景が見えてくる。だから、最初の歌集では一個の完成した世界を切り取って読者に提示することはかなり困難なのだ。それが処女歌集の性格というものだろう。では、彼のいま通過しつつある地点とは何か。そんなことから解説を始めたい。

いま彼は意味を切り捨ててゆくという作業に熱中しているらしい。

近代の短歌はその近代的文学観から「私」の見るもの、体験するものを歌うことに集中した。そしてその用語はより機能的な散文系の語彙をも忌避しなかった。そこから短歌の散文への従属と詩的堕落が始まる。

「写生」という方法は極めて少数の天才だけが成し得る険阻な手法である。アララギのすぐれた歌人たちの作品はその典型と言って良いだろう。そしてその業績から生まれた権威が世俗化したところから「写生」の転落が始まった。いまにして思うと文明さんの戦後短歌の時期の「生活短歌」の主唱はその堕落を促進した。そして結社の世俗的権威に蝟集する愚鈍な大衆がそれを更に決定的なものにした。

だからこれからの短歌にとって、近代短歌の重要な部分を占める事柄の事実性を排除し作品から意味を切り捨ててゆく作業は重要な意味を持つ。意味を切り捨てることで感情の伝達に必要な容量が生まれ、〈しらべ〉が浮上して、それは感情を伝達する主要な方法となる。これは、私たち「眩」の会員がいま考えている方向でもある。

ゆつくりと垂りくる受けて桶はあり縁（ふち）より水
のひかりこぼるる

つぐ水にあふるるまでの音は急（せ）き瓶の咽のほ
そきすずしさ

さはさはと滝をつつめる楓（かへるで）のあをのなかより
抱かんとする

たまさかに歩けばながき川沿ひを歩まんとし
て帰りゆくなり

はからずも畳にあをき脚ふたつ夕べ襖に鳴き
ゐしものは

鏡（かむがみ）のながらの神の男（を）の子ごがあはれをとめ
にあしらはれたる

二日にて三人の女とまぐはふは夢見ごころも
埒外のこと

午睡より覚めたる乙（おと）がしろがねの匙に食ふな
る襖のむかう

そして独自でより刺激的な律調への志向はある種の拘りとなって作者を苦しめているようである。なだらかな律調と明晰な言葉のつながりを重視する流派で学んだ経歴の私にとっては何故こんなに苦労するかとさえ思うことがある。

この歌集を編む段階になって最後まで彼がこだわっていた歌がある。

秋草を刈りつぐ鎌にイタドリの花こそ散れれ露に湿りて

この歌は最終的に「花こそは散れ」と改作されたが、伝統的な手法なら「花は散りたれ」とするべき箇所であろう。だがそれは彼を満足させない。どうしても「こそ」を使いたいのである。破綻しても律調にこだわる彼の面目が見えてくる。

抱卵のみなぎる腹を箸に裂き九月の鮎に妻はよろこぶ

この歌集の題名ともなった作品だが、これも何故、「に」の重畳にこだわるのか。「九月の鮎を」とするのが普通の方法なのだ。しかし、この拘泥がいまの彼を支えているとも言えよう。

つゆぐもる朝の谷間を中空を蝶のたちゆく明るき方へ

同じ傾向だが、この歌では「を」の重畳は作品をより受容し易いものとしている。

彼は兵庫県の佐用郡でいまも健在である父、安藤鶴二氏の長子として生まれた。安藤さんは兵庫県歌人クラブの幹事として地方歌壇の育成にも尽力された方である。彼が歌を作る修行を「ポトナム」で始めたのはおそらく父の影響によるものだろう。

葉がくれの池の真中に四肢のばし蛙浮きゐて時をり動く

伏す鹿は桜赤葉の日をあびて発情遂げしやさしさにあり

外灯のブリキの笠に張り付いてうすばかげろふちぎれつつ乾く

掛け鉤の刺しにし指ににじむ血が清き河原の
　水に落ちたり

こういう作品には作歌の初期の姿が見えかくれしている。こんなところから彼は出発したのだった。いまの姿と見比べて大きな感慨がある。

彼はいまその出身地である県立佐用高校の国語教師をしている。国学院大学を卒業して教員になったのは兵庫県の都市部、西宮市内の県立高校だった。いまも其処に妻子がいる。そこを離れて郷里に帰ったのは父の神官の仕事を受け継ぐためでもあったらしい。いま、中国縦貫道を自動車で往復しながら都市と田舎の二つの異なる環境に生きる作者にとって自己を確立するというのはどんな事なのであろうか。そこに彼の「都鄙問答」が成立する。

ふるさとがわれを潰すといふ人の都鄙問答の
　果ての満月

かくてまた出づるふるさとバックミラーに映
　れるものとして父のあり

大祖（おほちち）も故郷なるもはた神もわれは負ひ持つ解
　きがたきまで

この村のノラとなりたるシャム猫がミィ子を
　連れて田あぜにあそぶ

これらの歌にはいま自己確立に苦しむ作者の自己投影が感じられた。

地下街の花舗に置かるる水槽のあかるき泡を
　くぐる葦登（よしのぼり）

電飾のあかるき中にパチンコ台一つが狂へる
　音たててあり

街がらす子がらす鳴けりビルの間の巣立ちの
　楠のざわめきやまぬ

集中では比較的少ない都市の歌を引いてみた。これらはまだ初期の歌だろう。それなりに面白い歌であるが、素材の持つ事実に依存している部分はかなり大きい。

素材に依存すると言えば、いちいち引用はしないが、この歌集での学校教師の歌、鮎釣りの歌、また阪神大震災の歌などがある。読者によってはこのような歌に興味を持つ向きもあろうが、それらの多くはやはり事実のもつ面白さに基礎を置いていると言えるだろう。事実や事柄、事件に牽かれるような初歩のところから感性の伝達に腐心するようになるまで、其処の彼の第一歌集の展開の道程があったのだ。

平皿に盛る粗塩のきらめくをうすくらがりの神にささぐる

をさなきはをさなきながら夜の卓にあはれ「わたし」と言ひはじめたり

この村にもおよぶ余震の後先に夜の樋のほそき水の音する

夕顔の花のあはれの拠るところ「夕顔の巻」の授業に入る

手のひらになづるがごとくうつごとく竹のほつえの月にさゆらぐ

白壁にちすぢの蔓の浮きたちて蔦のもみぢは燃え落ちにたれ

かがよひは符牒のごとく内ふかく排水口のレンガの壁に

いつよりか庭に置かるる石臼に水を満たして嵐すぎたり

私はこのような歌が好きだ。そして、それらの感性をいま育ててくれるものはやはり雑然とした都市ではなくて故郷の豊かな自然なのだと思っている。私は彼と同じく田舎で高校の国語教師をしていた時期があった。あれは私の最も不幸な時期であった。なにも不遇だったと言っているのではない。人生の目標が摑めなかった、右顧左眄して自己確立が出来なかった時期だったのだ。そんな当時の私を彼に重ねて思うことがある。

いたづらに田舎住みを恐れることはない。恐ろしいのは競い合う相手が傍にいないこと、そのあたりに多い愚昧な連中を相手に安住して、自分を苛むことを止めて仕舞うことだ。いまのわが国に情報は氾濫している。求める謙虚さがありさえすれば自分の課題を解決する道筋は見えて来るだろう。

　これからも作者の道は決して安泰ではなかろう。その展望もいまはさだかではない。しかし、私は彼のすぐれた資質に信頼する。また、その不器用な拘泥を大切に思う。

　この歌集を『眩』叢書として出版するにあたり、帯文を書いてくださった玉城氏のご厚意に感謝申し上げ、ひろく読者のご清鑑を願いたい。

あとがき

　五十歳、ようやく歌集を、持つことになりました。「私」を種として生まれる歌の一葉一葉、それが集の一樹の体をもって立つとき、どのような風姿となって見えているのでしょう。自分にはほとんど想像ができません。ただ、短歌というものを、それをなす私を、今あらたに見つめる場となっていることだけは確かです。学生時代からの十一年間の東京生活、関西、西宮での十三年間の教員生活、そのころはむしろ「現代詩」にかかわりを深めておりました。短歌の実作に腰が座ったのは平成元年からということになります。そしていま、教職兼務神職として家族の住む西宮と郷里、西播磨の山間、佐用の地を行き来し、「都鄙問答」を繰り返しながら、来ているといった次第です。

短歌が「私」に発するものだけに、文学としての客観的価値がつねに問題であることを私への問いかけとしてまいりました。

ここに二六一首にしぼり、年代の枠を外して編集いたしました。皆様の率直なご批判をあおぎ、これからに資したいと存じます。

短歌の中に生きるということは、どうしようもなく一人のところと、どうしようもなく一人ではいられないところがあることを強く感じます。それだからこそ一層のこと、生まれてこの方、拙い私の在り方に、陰に陽に関わりをもって下さった多くの方々に衷心からお礼を申し述べたい思いがここにこみ上げてまいります。

米口實先生には、発刊の発意の段階から、編集、出版に至るまで懇意なご助言をいただき、また、行きとどいた解説文を賜りありがとうございました。

玉城徹先生には、とかく心の萎えがちなこの草深い地に清澄な風を送っていただき、さらには、お心ふかい帯文を下さりこの上ないよろこびと致しております。

なお、出版にあたり、種々のご配慮をいただいたながらみ書房主、及川隆彦様、親しくしていただいています「眩」、「うた」の会員の皆様、結社を越えての皆様、さらには、カバー絵を願った中野邦彦様に深く感謝申し上げます。

平成九年五月

安藤直彦

『鄙さかる』（抄）

秋の蝶

耳のあたりはつか吹かるる気配してすでにし黒き蝶とすぎゆく

きらめきの瀬肩に翻す鮎釣るとわが立つかげを人見つらむか

石亀のいづべにむかふ歩みとも秋の浅川あかるきものを

鮎どちも遊びせむとや出できたり夕日あかるき水汲場(くんば)の石に

ゆく夏のとられ残りの年魚にして囮(とも)ちかづけば追はむとするぞ

鼻孔には処女(をとめ)のごとき触ありて釣りたる鮎に鼻環(はなかん)とほす

跳ね上がり掛りし鮎の盛肩をみつめてをりつその面(つら)ぞよき

雲片(くもぎれ)も平たくゆける昼つ方ひまはりを摘む音は聞こえて

婚姻色ほのかに染むる鮎ふたつ釣りて今年
の竿納めたり

刺し網に鮎とる人の動きにも秋はしづけき
水音を聞く

カーボンの鮎竿（さを）の傷みのあやふさに塗るは
試供のマニキュアの赤

帰りきてわれはさびしゐ薄物にまろぶ畳に
かなかな鳴いて

峡の水べに

かげ濃ゆき青のなかよりひとはけの夏うぐ
ひすの声はたつたり

じんわりと蛇に飲まれてゆくやうな声を聞
くなり一人し釣れば

白鷺の秀（ほ）にこそ見ゆれ青杉の真夏昼なか鮎
つるわれは

大鮎の竿もたわわに引き寄するこの緊迫を
ひとり楽しむ

岩陰の鮎を素手にて押さふれば指にをみなの身じろぐごとし

橋の上を日傘の人のかげすぎて真夏昼なか峡深きかも

木のものも草生のものも黙らせて雷あり人の家に着くころ

日の中に降りくるものは濡らすなり釣りゐるわれの竿の先まで

しろがねの鮎入るる缶に山からの葉月の水を打たせこそすれ

石見、鴨山行

「鴨山」を地番台帳にみいでたる茂吉なるかなそのよろこびに

妻てる子、こいつは悪い女（やつ）でして記念館員われらに言ふも

鴨山の磐根し巻きて死にけるをこことさだめてゆく秋の雲

人麻呂もまして茂吉も無縁なる若き女と酒酌みにけり

鴨山は地震(なゐ)に沈むとふ説あれば益田の海を
のぞむ高処(たかど)に

荒縄の石にくくられ静かなる海に沈みけむ
人麻呂なるか

鳴く鹿のもみぢ踏み分けわがゆけばとほき
遠流(をんる)の心地こそすれ

鳴きつつを鹿のなづみてゆきしならむこの
裏山に茶の花落ちて

*

ともしびの明石大門(おほと)や橋くぐるわが人麻呂
もふりあふぎつつ

西播磨、添谷(そへだに)行

幾たびをみる夢にして掛けのぼる丘の向つ
嶺(を)雲湧くばかり

添谷に山女釣らむと男の子らがわれを待つ
なり山吹咲いて

アブラハヤの怒りなき眼にみられつつ小さき口の釣り針はづす

春の雨つめたくふれる川沿ひに安楽死せし馬の名浮かぶ

空たかくつばくら五つ六つ来て桜散るなり峡(かひ)の水の上

春泥ののりたる靴は履くままに水の面(おもて)にのせて濯ぐも

虚子の狂、芭蕉の狂とさかのぼる徒然草序文の末尾にふれて

春や一人谷の溜りのアメンボのまぐはひ一つ見て帰るかな

鄙さかる

ひなさかる播磨は西の讃容(さよ)つべの沢なる蟹に挟まれにけり

うぶすなの裏の小山にあかねさし櫨(はぜ)のあか葉は風にそよぎぬ

龍の棲む滝の話の跡絶（とだ）えして底ひにわれの
影か動ける

嗄（か）れ地（つち）に紫蘇の実はじきゐる真昼ふいにア
フガンの土をおもへり

はりまぢの果てをなほ継ぐ奥つべに石の上
なる蝶が水飲む

蛇、蜥蜴（とかげ）はた燕子やわが家にまつはり生く
るものみなしたし

野良と生まれ野良と生くるがみめぐりに夜
ごと日ごとを啀（いが）みてせつな

ちちのみの父死にたればひなさかる千種（ちくさ）の
アユも釣らず終はりき

街　に

杣山の水を踏みこし昨日靴はいて街ゆく熊
蟬のなか

雲水もシスターも乗り蝶が乗り昼の電車の
黙（もだ）深くゆく

街川といへどかがよふ夕光の橋の下なる風のさざ波

競馬場の煉瓦の道も秋たけて折りにしぐれば見上ぐる楓

ひかへたる中の一つが首低く駆け抜け出でてすなはち勝ちつ

かの地震（なゐ）の傷と思へば地下街をわがゆくときの歩ははやむなり

鮎釣れば黒きわが顔　なにはなる街のホテルの鏡に映す

都鄙通ふ

田舎にも街にも住めぬわれがゐて中国自動車道かくしかくゆく

都鄙（とひ）通ふわが幾とせの播磨野に雲押し分けて光そそげり

行く道を雨ははげしく打ちながら浄めのごとくわれはよろこぶ

くらきくらき雲より出でてひさかたの光なのめにさす村がある

馬運車の小窓に馬の顔は見え中国自動車道
わが併走す

さみだれの上がれば杜を出づる身におちこ
ち水の音たかきかも

神斎く

風立てば標(しめ)の紙垂(しで)はもさやさやに荒ぶる神
にささぐ御幣(みてぐら)

うぶすなを斎(いつ)くと上る石段に夏うぐひすの
声は聞きつつ

わしづかみ神供(しんく)は皿に盛るときのぶだうの
房の重きを愛す

神斎(いつ)くとまれからまれうら若きわが子があ
はれ斎き初めてき

米作を棄てたる人らがお初穂と料を供へて
神主われは

八幡なる神の御霊を巣としたる貂のねぐら
を捨てにかゆかむ

炎天の日差しにくらき樹の下の愛宕の神に水たてまつる

乳房（ちちふさ）にうづめ見てゐしうつろさへ祓へたまへな六月祓（みなづきはら）へ

梅雨湿り宮の太鼓のででとして響かぬ杜に郭公がなく

父

荒風に裏の檜の倒れしが家に来ざるをよろこびにけり

父、死

すでに白濁なせる眼に見むとするかかる独りに父は死ぬなり

はがれゆく意識とならむたよりなく手を伸べむとす父は死ぬなり

別室に点滴受くる父ありて密かに死期を聞きゐるあはれ

なきがらをぬぐう女の運び見え扉(と)を閉めたれば父は死にけり

*

骨壺を抱き帰る身は玄関に燕三羽の巣離れをみつ

転勤あとさき

つきつめてもの想ふ月の幾日を過ぐして響(とよ)む弓張りの月

つきつめて思へばせつな人も吾も雀も猫も食はねばならず

校庭の煉瓦は春の雪に濡れせきれいふたつ光を歩む

野いばらの深手もややに癒えつつに劣性遺伝の花をいとしむ

乳剤をこほろに掻きし棒先の凝（こご）りて春のきらきらしけれ

*

「ハイ、この上です」下（くだ）りて来たる女生徒の声の明るさ坂道のぼる

校庭に真鯉あそばす池があり有馬の山の水をみちびく

謹慎解除の生徒らありて池の面に波たちてをり鯉寄るところ

母

ひとつこと電話に重ね言うてくるあはれ母なるさびしらにして

水槽に一跳ねしたる魚の死を告げきて母は病む足を曳く

夜を更けて帰れるわれの見るべくに口開けて寝る母の孤独を

門先にわづかに残る畑あれば出でし双葉をよろこぶ母か

母を呼び泣きつつ駆くるわれありきその断
片のとほき夕空

母、死

葬の日を玄関出づるわが上にあはれ巣作る
つばめしき鳴く

母の御霊こころに追へば門先の豌豆の花に
蝶ひとつをり

ひとり湯舟にしづみをりにし母なるか死出
の一夜さ灯あかりの中

軒下にみづいろの如雨露（じょうろ）置きしままに母は
ふたたび来ることあらぬ

土曜日にかへると言ひてゆくわれを待つさ
びしみにゐたりし母よ

高等学校

夏風の通ふ廊下にひざゆるめ座る生徒に近づくわれか

印刷室に君のみそこにあるごとく妙にときめき話したるかな

ふいと来てついと翔ちゆく鶺鴒（せきれい）の羽音の風のごときにひとは

学習の力にくもるをとめごの顔かなしみて教壇のわれ

*

子を産みて通ふ生徒の会議なり残暑の窓を深く閉ざして

学校の池の菖蒲のゆれゆれてあはれ産卵の鯉の背はげし

朝の日に光れる石にふつときてふつとたちゆくセキレイならむ

このところ三たびはゆきぬ少年鑑別所になしたることのその後を聞きに

ボンネットに張り付きありしガムさへに怒
る心のうすれゆき　冬

*

学校の激しき雪に臨時休校とふよろこびあ
りてその雪が降る

『山月記』の題の意味など説くときに「孤
高」など語を交へしうつろ

なにかその大いなるもののあるごとき若も
のの文を添削しをり

これだけは言ひにと来たる男(を)の子ごの礼(いや)な
し去りて今日卒業す

思ひ及ばず人を殺めし少年の行く末しじに
おもふ春の日

生徒

「生理(あれ)がない」生徒もまじり行く土手の桜
菜の花　春草の花

かるかやの芽吹きにからむビニールを剝が
す朝(あした)の雨はこぼれて

二人来て「あつた」と言へば「よかつた」
とわれの応ふる学校の朝

逝く霊のあるべき空をカラとしも読める生
徒に明る午後の日

日輪のあかき帽子に「愛国」と書きて扇げ
る生徒が行くも

浪人する医者になるとふ男(を)の子ごをわれは
言葉に泣かせてをりつ

わが歌のもがきのときを夜の海に十六歳は
殺されゐたりき

鄙の髄歌(まうた)

Ⅰ　春

泊夫藍(さふらん)のあはれ絶えきと知るまでに捨て小(を)
畠(ばたけ)のあらくさの花

残されし炭焼き小屋のカレンダーにほのか
三月(やよひ)の女が笑ふ

玄関を開けゐしからに風のむた入り来し花ぞわが靴にのる

そのかみのわろき心に比ぶればよろしきことのさびしらにして

山独活(うど)のあをき一本ぶら下げて老女車道を渡れるところ

烏骨鶏のみだらに生ふる脛の毛を見つつしそよぐ竹籠の外

放たれて風のはぐくむことはりに稚鮎は春の流れにきほふ

うぶすなの社の下の蟻地獄を掘りにし指に指せる東京

II 夏

出で入りの軒につばめの巣掛くるを聞けば聞こゆるひなどりの声

葉桜となりてかげ濃き一樹にて今年はじめの蟬鳴きたつる

どのやうにやつてはみてもそれだけのことにて小蛙つゆ草を跳ぶ

形代を小舟に乗せて流しゆく、祭り　百戸
の夜雨に蒸す

蛇の胴五つふくれて雛鳥の五羽呑まれたり
六月未明

うすずみの汚れのやうな五位鷺がこのごろ
村に棲みて啼くなる

山川のあかるき水に花すぎし合歓の裏葉の
かがよひてあり

アユ釣れるわれのそびらの石原に日傘のひ
とを立たせこそすれ

抜けてゆく間を郭公のなくを止め見てゐる
らむか葉むらのなかに

滑(ぬめ)ぐさきものを裏戸に捨てにゆく白き素足
も浮かべみるべし

Ⅲ　秋

からすうり絡むも生(な)るもあらはれてなべて
は秋のたひらの光

雨後の日に糸一条(すぢ)のひかり流れやがて渡る
を蜘蛛と見るまで

はるかなり女の家の窓のへにカタカタうごく水槽の亀

山城跡(しろあと)の高きに鷹がしたやうにハツタと女をくみしきにけり

川原べの日に重なりてあるものは淫祠のごとく組める木片

つかみたる小鳥が指を咬みにしを嘴(はし)のなごりと開くてのひら

松が枝の高きにありて散るかげは十二雀(こがらめ)の群れわれはその下

茶の花に寄れば朝(あした)を発つ鳥のちかぢかとして放つぬくもり

町方に激しく豚の啼きつるを若き女とゐていぶかしむ

Ⅳ 冬

冬の日の中に放られあるやうな、小祠に乾ぶ蜥蜴も花も

ふたたびを意志のものとやなりゆかむ痴情に倦みて石段のぼる

瀧川のたぎちの石に水を飲む黄鶺鴒はもわが方を向く

飼い犬にかまれし人のなげかひを聞きつつ除夜の鐘鳴り初むる

経る年をはろけきものと茶の花のかをりひとつは手にのせてみつ

ほのぼのとはじめて熾（おき）を見し猫の負ひし火傷も手を延べてこそ

汝が歯型われが歯型のこもごもに一つりんごと運ばれてゆく

積む雪に真榊とらむこの朝父のせしごとわれは子にせず

冬の日の遠くにありてくろぐろと急使のごとくよぎる五、六羽

V　冬から春

処女子（をとめご）がさかりつく猫をいうときにあはれ明るく雪はふるなり

去勢待つ猫は苦しくなきながら雪をみてをりピアノの上に

鶺鴒のほそきのみどをくぐるなる梅が花枝
の下のやり水

梅が枝をさしくる光（かげ）にぬれながらわき出づ
る水の音のしたしさ

枯葉しき貂のねぐらとなれる祠（し）の扉を開く
かるく叩いて

沼津の人

あづまぢの沼津は地下の居酒屋に賜びし急
浮上せよの言の葉ありき

現代（これのよ）のうたの内容（なかみ）のあるべきを問ひなされ
たり　人へともなく

子

午睡より覚めにし乙(おと)がしろがねの匙に食ふ
なる襖のむかう

五月雨のシャツを着ながら金くれと子がい
ふことよ部屋を出できて

東京に行けといはれて辞めたるは二十五歳
のわが子でありしよ

あはれ眠らむ中二の女子(めご)がみづからの明日
の服に財布を置くも

歯ブラシの色をたがへてさし置かるかかる
筐(かたみ)を家族と思へ

春哉(はるかな)の里

脇道にさらにひそけき径(みち)ありきいまだ入ら
ざる径にてありき

桃の実にかくる袋の手を休め人は教ふる春(はる)
哉(かな)の途

樹の下に流れはありてそのほとり人し住む
べく桃冷やしあり

本道をそるる小径や矢印の標(しめ)の春哉とかげ
が眠る

溝水をちろろと濁すものはゐて杣(そま)みちほそ
き一人のあゆみ

松が枝の高きにありてこがらめら行きかふ
影はわが顔にふる

つかまむとすれど離るるほうたるのい行く
力の強くもあるかな

記　憶

貝にさへ阿(あ)ともれ出でしひとの音ぞとほき
記憶の断片にして

廃校の裏の小笹の青とかげ春の夕べを出で
入るあはれ

水琴の音はからよと文鎮に爪を打たせてひ
と示すなる

書の部屋の高きにありてきみとわれ冬の光
の冴ゆるを見たり

忘れ得ざる女三人はありといふそれの一人か夢に礼（ゐや）する

カハセミの翡翠（そに）のみどりをわれは見き霧の川面に条（すぢ）と消えしを

天童に将棋の駒をただ購ひに行きにきただに還り来にけり

目に見えて逃れしもののいづべともアユにまつはる糸ふけの触（しょく）

谷行

座りよき一つ薬缶のひたしあり汲（く）ん処（ど）の石に水さやりつつ

落ち水に打てる真桑瓜（まくは）のまろびまろび小さき滝に水浴（みあ）みすわれは

いてふの実の色づき浅く落ちてゐき人の歩みの過ぎし道のべ

後ろ手に毛のあるものをぶら下げて老女ふりむく逆光のなか

西燃えて見あぐる宙(そら)に自然薯の蔓の秀先の
揺れかそかなる

初夏の水音

キセキレイ湧き水そそぐ光(かげ)に来て喉(のみど)ほそく
もそを飲まんとす

せきれいのほそき喉をくぐるなる水の音聞
くごときひそけさ

水の辺の芹の根方を濁らせて時とし動くも
のの背を見つ

あらくさの棄て小畑に風たちて猫は近づく
さふらんの花

悪としも善としもなきあかときの夢につな
がるさやか虫が音

朝顔のつぼみの巻にほのづけるノスタルジ
アに触れもこそすれ

あかときの意識の底をくぐりくる途切ると
もなき水音を聞く

猫

さざんくわに群れゐたりしと思ひ及ぶ目白
ふたつを猫銜（くは）へ来て

窓近きテレビの上に猫は乗りはろけき何か
もの見るごとし

庭のべに葬（はふ）りしものの土盛りを教へてあは
く雪は積みける

舗道（しきみち）に死にし仔猫をみてすぎぬ向かう向き
さへあはれなるかな

餌の碗水の椀ふたつ並びあり還り来ざらむ
ものの乾きに

掛け軸の鷹の気になる若猫が笑はばわらへ
跳びかかつたり

外回りしたかる猫が横たはるわが二の腕を
そとたたくなり

夢

愛恋のあなたこなたが夢に来て懇親会など
してゐるところ

朗らかに手を振り寄れる人の目に遠き映画
のごとく手をあぐ

肩冷えて見たりし夢の不吉さやこれが因果
を君に解くまで

あかときのおどろの夢のゆゑ問はばあふべ
きけさのことさへあやし

逢へばまた君のみそこにあるごとく片時と
してさやぐいのちは

見せ消ちのままに伝へし断定が春のおぼろ
に浮かびて消ゆる

月かげの檜山は暗くぬき出づる竹の秀先の
そこのみ動く

敷かれたる二つ蒲団のよるさへや臥してぞ
しばし聞く雨の音

うふふふふ彼方(あち)はなほつて此方(こち)はまだなに
か痴(をこ)なるだるき真昼間

夏雲の白もひろらのあかるさに竜胆咲けり
高原(たかはら)をゆく

鄙の中今(なかいま)

思ほへば雀を見ざり　群れむれて雀は鳴か
ず　神祠(かむほぐら)、撒かれし米もありありに　残り
い残り　折りふしを　せきれいい行き　歳
旦の神こそ祀れ　ゆく村も　鴉は啼けど
柿桜　秀枝(ほつえ)をわたり群すずめ　咲くごと啼
きしむら雀　一羽と見えね　さびさびと
百舌こそ啼くに　向かうより来たれる人も
さういへばさうねと言ひて　過ぎゆきにけり

反歌

あはれ雀咲くごと啼いてゐたりしを見ずな
りにけり柿は伐られて

神祠(かむほぐら)黙(もだ)ふかぶかと一房の黒きぶだうは置か
れてありつ

人のよの高きに翻(かへ)し葦はらに烏鳶(うえん)戦ふあそ
ぶごとくに

思ひ出

人のため氷雨に駆くるひたすらをきよき自発といまにし思ふ

ときの間を因幡砂丘（すなをか）高波の夕日に透いて大き魚顕つ

精霊舟めぐりにいくつかたぶきておもひに出づる隠岐の島波

まざまざと鳥の古巣はかかりゐていまだ芽吹かぬ櫟の上枝

ゐしもののをらずはさびし見上ぐるに見下ろしをりし燕子四羽

杉の戸のふし穴つよくさし来たる光や過ぎし日の隠れん坊

投げやれば口にし受くる逸れたるは子熊が食らふ抗ひもなし

鳶ふたつ高処にありて静かなり夕さりゆけるをりしもの空

あかあかきちぎりの柿の赤もえて君とながむるとほき夕映え

夕かげのすずしくなれる野の道をひと恋ひ
つつをひとりしゆくも

近江、川端(かばた)行

朝晴れて夏も終はりの比良の嶺(ね)や　湖西を
駆くる二人なれ　藤樹の里もはや過ぎて生(しやう)
水(づ)の里に着くなれば　昼餉の後を地の人に
案内を乞ひて　家ごとの川端を行くに　水
神を祀ることなく　清みづ満つる

反歌

この郷に祀れる水の神無くて近江川端の湧
く水をゆく

湧く水の生水(しやうづ)の里の川端(かばた)なる鯉に人さしの
指は吸はれつ

『鄙さかる』解説

米口　實

安藤さんが第二歌集を出すという。彼はこの三月で公立高校を退職するのだ。最初の歌集からもう十年の歳月が経過していた。

彼の生活の本拠は自宅のある西宮市と勤務校のある神戸市の北区、そして彼の故郷は西播磨の佐用町だ。其処で彼は幾つかの神社の神職を兼務している。阪神の市街地と佐用町。それをつなぐのは中国縦貫道路で、彼にはそこを往復するという日常がある。佐用町はもう播磨の西北、美作の国境にある山奥の町である。歌集の名を『鄙さかる』というが、遠く都市を離れて辺境の地に住むという自覚と感慨がそこに籠められているのか。それがこの歌集の基調をなす主題である。

歌集の最初には鮎を釣る歌が見える。

鼻孔には処女(をとめ)のごとき触ありて釣りたる鮎に鼻環(はなかん)とほす
跳ね上がり掛かりし鮎の盛り肩をみつめてをりつその面(つら)ぞよき
じんわりと蛇に飲まれてゆくやうな声を聞くなり一人し釣れば
岩陰の鮎を素手にて押さふれば指にをみなの身じろぐごとし
しろがねの鮎入るる缶に山からの葉月の水を打たせこそすれ

さわやかな官能を感じさせるようなこれらの歌には彼の歌人としての命を傾ける嗜好があるのだろう。しかし、思えば釣りは本来、人間の孤独な営為なのだ。人を孤独な境地に向かわせるものは何か。そんなことをふと思っていた。

釣りには暗い記憶がある。私が選んだのは新聞記者という職業だった。ところが志なかばにして腎臓結核で倒れた。止むなく郷里に帰って療養して奇跡的に回復したが、もう道は断たれていた。郷里の高校の教員になるしかなかった。

その頃、私は釣りに熱中していた。朝から海に行って釣りをする。登校して魚を用務員室に放りこんでおいてから教室に行き授業をしていた。釣りしか孤独な心を遣るすべがなかった。私は人生を放棄していたのだ。

安藤さんを見ていると私は何故かゴンチャロフのオブローモフを思い出す。彼も恐らく人生の中で何かを失いながら生きているのかも知れない。そういう孤独の中の彷徨はこの歌集に底流する隠れた主題の一つなのだと思う。

虚子の狂、芭蕉の狂とさかのぼる徒然草序文の末尾に触れて
春や一人谷の溜りのアメンボのまぐはひ一つ見て帰るかな
田舎にも街にも住めぬわれがゐて中国自動車道かくしかくゆく
乳房にうづめ見てゐしうつろさへ祓へたまへな六月祓（みなづきはら）へ
東京に行けといはれて辞めたるは二十五歳のわが子でありしよ
天童に将棋の駒をただ購ひに行きにきただに還り来にけり

『鄙さかる』という歌集の表題の素材として「鄙」をもっとも良く語ってくれるのは次のような郷里の神職の生活を歌った歌であろう。

ひなさかる播磨は西の讃容つべの沢なる蟹に挟まれにけり
置かれたる黒きぶだうの一房に霧たつ峡の神（かむ）祠（ほぐら）ある
蛇、蜥蜴はた燕子やわが家にまつはり生くるものみなしたし
米作を棄てたる人らがお初穂と料を供へて神

主われは

一人来て二人はをりて一人来ず過疎の祭の斎主(いはひぬし)われ

八幡なる神の御霊(みたま)を巣としたる貂(てん)のねぐらを捨てにかゆかむ

炎天の日差しにくらき樹の下の愛宕の神に水たてまつる

枯葉しき貂のねぐらとなれる祠(し)の扉を開くかるく叩いて

そこで彼は父母の命を見つめていた。

すでに白濁なせる眼に見むとするかかる一人に父は死ぬなり

別室に点滴受くる父ありて密かに死期を聞きゐるあはれ

なきがらをぬぐふ女の運び見え扉(と)を閉めたれば父は死にけり

ひとり湯舟にしづみをりにし母なるか死出の一夜さ灯(ほ)あかりの中

土曜日にかへると言ひてゆくわれを待つさびしさにゐたりし母よ

その頃、彼は神戸市の県立高校に転勤して、新しい職場での歌がある。

夏風の通ふ廊下にひざゆるめ座る生徒に近づくわれか

謹慎解除の生徒らありて池の面に波たちてをり鯉寄るところ

子を産みて通ふ生徒の会議なり残暑の窓を深く閉ざして

ボンネットに張り付きありしガムさへに怒る心のうすれゆき　冬

「生理(あれ)がない」生徒もまじり行く土手の桜菜の花　春草の花

状況をひとつの風景として歌うところに彼の日常

現実に向き合う姿勢の特徴がある。

うすずみの汚れのやうな五位鷺がこのごろ村
に棲みて啼くなる

秋口の小さき堰に落ちたぎつ白き飛沫を見つ
つしせつな

はるかなり女の家の窓のへにカタカタうごく
水槽の亀

つかみたる小鳥が指を咬みにしを嘴(はし)のなごり
と開くてのひら

亀岩のなめらなめらを食みし鮎の今日落つら
むか一日雨降る

ふたたびを意志のものとやなりゆかむ痴情に
倦みて石段のぼる

キセキレイ湧き水そそぐ光(かげ)に来て喉(のみど)ほそくも
そを飲まむとす

いてふの実の色づき浅く落ちてゐき人の歩み
の過ぎし道のべ

胡の国に妻忘れける人ありと読みすぐしてや
思ひめぐれる

あまさかる鄙とみずから言う彼の生活からこういう歌を拾ってみた。其処にも現実から一歩退いて物を見るという彼の固有の生き方が見え隠れしている。これは隠者の歌である。世に志を得なかった近世の文人たちは好んでこういう生き方をしていた。ありきたりの脱俗というのではない。人はそれを「やさ隠者」といった。怠惰なのではない。志を向けるところを喪失した者の悲しみから生まれた志向がそこにはある。彼らが遊里をその生きるべき場所としたのは理解できるところである。

　更に指摘したいのはこの歌集の歌のもつ調べの独自さである。それはあとがきで彼が指摘したように自分の歌を貫くまさに玉の緒という意識を持っているようだ。彼はそこにこそ自分らしい歌の文体を感じ得るのだろう。私は「多摩」の伝統的な歌のなだらかな調べで鍛えられたから、この歌集を読むときにいささか違和感があった。進んで直そうと思ったことさえある。つまりこの歌の調べに伝統とは異なる詰屈さを感じていたのだった。

耳のあたりはつか吹かるる気配してすでにし黒き蝶とすぎゆく
田舎にも街にも住めぬわれがゐて中国自動車道かくしかくゆく
かげ濃ゆき青のなかよりひとはけの夏うぐひすの声はたつたり
街川といへどかがよふ夕光の橋の下なる風のさざ波
うぶすなを斎(いつ)くと上る石段に夏うぐひすの声は聞きつつ
夜を更けて帰れるわれの見るべくに口開けて寝る母の孤独を
思ひなく鶏舎に入れば鶏らいつせいにしてわが方を向く
樹の下に流れはありてそのほとり人し住むべく桃冷やしあり
つかまむとすれど離るるほうたるのい行く力の強くもあるかな
忘れ得ざる女三人はありといふそれの一人が夢に礼(ゐや)する

もう昔のことになる。関西の伝統ある結社から少数の人が離脱して玉城さんの傘下に入ったことがある。安藤くんもその一人だった。歌集にも「沼津の人」という一章がある。玉城さんはかつて歌壇に大きな牽引力を持っていた一人だったが、近頃とみに離俗の姿勢を明確にしている。賑やかで明るくて猥雑な今の歌壇に背をむけている趣がある。安藤くんが自分の歌に維持しようとしたこの狷介で詰屈な調べはまさに彼の影響下にあって反俗の意志を表明するサインだったのだろうか。なんとなく私は頷いていた。

あとがき

　第一歌集『九月の鮎』より十年が経ってしまった。この間の歌、捨てるは捨て、三百余首にまとめ一冊とした。改めて見返しながら、以前のものも最近のものも、それぞれ律調に、それほどの違いがないことに気が付いた。その時々のバラバラになっていた作を玉の緒で結んでみると、そこに新たに立ち上がってくるものがあることをうれしく思った。

　書名『鄙さかる』は「いなかの方へ遠ざかる」意。万葉集に借りた。西播磨の最西部に生まれ、その十六余社の神職として、教職をあわせ、西宮と中国自動車道を往来してのたずき、そこには人と自然と神のかかわりがあり、いわば現代の都市社会からみればある意味特殊な、それでいて全体のこころの核であるような原風景とでもいうものを志向する自分があった。私のささやかな生きの中にあって、社会世相を凌駕するような思想をえがくことなどのぞむべくもなく、いわば、白秋が「春の気分のやうなもの」（『桐の花』）といったほどの、人間を含めた自然の、いのちあるものの「生きのあはれ」とでもいうべきものを確かとさせたいという思いにあった。

　それがどこにどれほどの意味をもつものか。そもそも歌も人を意識してするものではないであろう。しかし、だれにも何者にも、何をしももたらさないものであることは虚しく寂しいことであるのかもしれない。このささやかな歌集にお目をとおしていただければ、さらにはご忌憚なく評していただければ幸いとするところである。

　当歌集の発刊、編集にあたり、発意段階から、選歌、構成、出版にかけて米口實先生に貴重なご助言をいただいた。また、同郷のイラストレーター中野邦彦氏には表紙画を描いていただいた。さらには、青磁社、永田淳氏には発刊にあたり、種々の便宜をいただき、永田和弘氏に帯文を頂戴いたしたことをよろこびとする。重ねて感謝申し上げる次第。

平成十九年三月

安藤直彦

自選三十五首

（二〇一七年一月〜二〇二三年三月）

ぢいわれに女(め)の子二歳がこのごろを「ひやくえん、ひやくえん」言ひて寄りくる

樟の葉のただのそよぎのはろけさを窓にみてゐつ抜歯の後を

ふるさとがわれを潰すといふことの透きあざやけきみどり夏の陽

竜胆は平瓮(ひらか)に添へてあるものをさし延べて細く鮎ほぐす指

幼等の遊び残せる松かさが夕陽の翳にみな閉ぢてあり

びらびらと光りに音のあるごとく棕櫚の細葉の鳴りしきりなる

鰹木（かつおぎ）に陽はさしながら降る雨に遠くはたたのかみは鳴るなる

蔓日日草のからみ置かれし石臼にをりをり鳥が水飲みにくる

みどり濃き照りのよろしさ真榊を採れば昨夜の雨はこぼれて

尿よりを生れてしたしも水波之女神（みづはのめ）のぼらしめ井戸埋めたり

あしびきの捨て山畠は茶の花のまばらまばらに蜂ふたつをり

手灯りに笹葉のたたすかがよひをわが立ちてする尿と知るまで

掻きし猫の畳の傷もそのままに開けて小窓を入る初夏の風

椿象をティッシュにまろめ棄つるときわが指先はわづか圧したり

つくつくぼふしつくつくぼふしづーづーぢ
鳴くや七・五のつくつくぼふし

うぶすなの筧の水を鹿は飲み山雀（やまがら）が飲み猫
とわが飲む

くらぐらと穴の数して乾くなる蓮の花托は
文箱の上に

前山に陽はさし初めてなにがなし竹のしな
りを出で入る雀

鮎が瀬の川ゆ持ち来し滑石の漬物石となれ
る程よさ

パソコンを打ちゐる真夜の指先のはへ取り
ぐもとしばらくあそぶ

今日をまた家籠りをればなになくに机の脚
の捻子締めなほす

街蟬の声浴び帰るうつし身に真夜の裏山ふ
くろふが啼く

あが破（や）りし網（い）はひろらにも張り替へていぬ
つげの枝を朝の蜘蛛は

南天の朱実は喰はれ喰はれして終（つひ）の一実（いちみ）に
月影あかる

ああ、そこにゐたのか汝(なれ)や山の間を影とぼしらなかはたれの月

音となき谷の溜りに蝌蚪らゐて高枝に鷺のあやふさにあり

山水(さんすい)をあそぶこころのことなさに渓間は石に黄鶺鴒(せきれい)さがす

ひとしきり花びら雲とたちけむり峡の水辺の風中をゆく

打ちひろぐ網のしぶきに立つ虹や峡はみどりの逆光のなか

打つ網の広がり乏し常滑の石によろけて老いづくわれか

蠟の灯に群れ添ふ人らところ狭く地下冷暗に被弾を避けて

畑を打つ息の間に間を香りきてひともと若き蠟梅の黄

しだるるを引き寄せ貌寄せ香(か)ぐことの水べひそけき山藤の花

おお来たかつばめよつばめ去年の巣に二つながらに出で入るつばめ

六月の脳のたゆさに馬のごと頭（づ）を上下さす
何となけれど

歌論・エッセイ

一首、初発のとき

かつて大学のころ、阿部正路先生の近代文学演習授業でレポーターとして川端康成を担当したことがあった。発表後、阿部先生が雑誌の特集の企画があるので原稿にまとめないかと言ってくださり、少し自信が出来たような気になって、以来、対象をかたち作ろうする、その基本のところに川端文学から帰納し得た私なりのある傾向が居座っていて、動かしがたいものになっていることに思いが至るのである。このことを自身の短歌実作の上で痛感するのであり、さらに玉城徹氏の短歌論に触れる時、それはより克服さるべきものとしての課題に直面するのである。このことを検討することにより、私にとっての短歌のあり方に少しなりと実を結ぶ道をさぐりたいと思うのである。

「私なりのある傾向」とは、「一期一会」と「意識の流れ」という川端文学のもつ二つの軸にまつわるものである。ここでいう一期一会とは美的体験の一回性をいうのであるが、それを川端は次のように言っていた。ハワイの海辺のホテルでの早朝、カフェテラスの卓に置かれたガラスコップがきらきらと朝日に輝いているのに出くわした。それは、かつて地中海でのある体験を想起させるものであり、地中海の美的体験が、ハワイできらめくガラスコップに甦るのである。

一回帰的な瞬時のきらめきが、その意識下の流れが、後のある時の偶然に呼び起こされたのである、と。このことが康成にとっての「意識の流れ」の原型なのである、と私は理解した。そして、この二本の柱を軸に康成の作品群の分析を試みたのであったが、全作品を通して該当させることが心地よいほどに可能だった。（後日、「甲山紀要」創刊号、昭和五九年に発表）「一期一会」と「「意識の流れ」」。川端文学は、死・伝統性・自然・女・背徳（魔性）・無（デカダンス）

を作品の構成要素の主なものとして、それらの一つ一つがある時は主調低音として、ある時は堰を切った奔流のように流れてゆく一大感性の世界なのであった。

そして私、かつて詩作をしていたころ、「群れ」なる拙い散文詩を作ったことがあった。（「錨地」第五号）。小学生の梅雨時の下校時、増水の小川をあふれ出た沢蟹が道を渡っていた。その時に振りかざした威嚇するハサミの「赤」が永く視覚にやきついてしまっていた。それが後年の帰省の秋、杉木立の山道を歩いて、谷川で、獲物に群れる沢蟹と刈田の畦に群れ咲く彼岸花に出会ったとき、意識下の光景「赤」が重なり合ってくる感興をイメージしたものだった。とりもなおさずこうしたことが私にとっての「一期一会」「意識の流れ」の受け止めの基本になっていることを思うのである。

増し水の桶(ひ)にあふるるは石の間の蟹の甲羅にうちそぎつつ

思えば右の最近の自作にあっても「意識の流れ」の中の「蟹」であって、単に空間的な蟹ではないはずである。実は、一首三十一音律にあって、このことが小説の場合と異なった短歌表現上の私の問題に絡むことなのである。

ともかくも、私の短歌実作上、私の中の「意識の流れ」がそのようなかたちでしつこく影響していることを思わないでいられない。

そもそも「意識の流れ」(the storem of consciousness)とは、一九一〇〜二〇年代かけて、フロイドの精神分析に大きな刺激を受けたイギリス文学（ジェームス＝ジョイス『若き日の芸術家の肖像』『ユリシーズ』、バージニア＝ウルフ『ダロウェー夫人』『波』等）における小説の実験的方法（内面告白）に由来しており、ある時に個人の意識に感覚・観念・記憶・連想などが、継続的に流れることをさしていうものであった。

夏柑を神供の皿に盛る時のこぼれんとして保

つ言の葉

この、朝の神供の夏みかんの実の濡れに流れくるなんとも言いがたいひそやかな情感はなんなのか。

竹群を過ぎてのぼれる坂の上に風の中なる沢鳴りを聞く

この、初夏の風が肌を吹き抜けてくときのあのやるせない広がりはどこからくるのか。

さはさはと滝をつつめる楓（かへるで）のあをのなかより抱かんとする

負ひ傷を舐めゐる猫の舌に吹くいたくしづけき風もあるなれ

こうしてこれまでの自分の歌を思ってみるとき、意識、無意識を問わず、私の中にある「意識の流れ」のようなものが、ものの触発によってイメージ化されて出ているように思い当たるのである。どうもこういう作りをしているのである。

こういうときに玉城徹『芭蕉の狂』は私にショッキングなものであった。

詩の成立が、詩的イメージであると考える人々がいる。彼らはせっせと詩的イメージを作り出すために働く。彼らの作品は、非常に成立している場合でも、どことなく美的に甘たるさを漂わしている。

…………

ただ近代の写実芸術――ロマン派といえども、そこに含まれる――のみが、イメージを普遍的なものと幻想するのである。

玉城氏は芭蕉における「詩」の成立を次の句を引いて言う。

二月堂に籠りて

水とりや氷の僧の沓の音

「こもりの僧」ではなく、『氷の僧』と言ったのは、芭蕉の詩的直感である。その直感は、くどいようだが、イメージは関わりない。精神が精神の音を聴くという、ある寓意的な関係が成り立って、はじめて、この直感がはたらくのである。

…………

「詩的主体世界という客体との図形的関係だ」、歌うとは「詩的価値を公的に賦与すること」で、長い読書体験によって芭蕉の内部に推積圧縮されてきた「氷」の観念(イデー)があり、そこに「氷」のイコノグラフィとでも言うべきものが出来上がっている、と。

芭蕉が「氷の僧」の言葉を得たのは先人の歴史のなかより吸い上げられて培われ詩的直観によってのもの、詩的空間に時間の厚み、深さが加わった直感によってのものである。対し、玉城の言う「イメージ」は空間的表層に働いた像、ということになろうか。

こうして見ると、「意識の流れ」によりもたらされたものは、あながち「ものによるイメージ化」ということに当たらない、むしろ詩的直感に結ぶ機能を有していることが思われる。問題は、「詩的価値」の「公的賦与」ということである。短歌的個別、特殊がどう普遍と結ぶかということ。歴史にどう参加するかということである。「詩的主体」と客体としての世界がどう結ぶかということになるのであった。

（「眩」第十号、一九九五年一〇月）

「感情移入」を考える

前号『眩』（創刊号）「短歌時評」において米口實氏は、茂吉→佐太郎→三四二の「写生」の伝統に埋没してゆくこと、その魅力に囚われることは、「創造的に自立すべきわれわれが無自覚に眠り込んで仕舞う」おそれを示唆した。実質において、こうした『写生』の伝統」は「感情移入」とイコールの関係にあり、玉城徹氏の指摘があるように、写実と反写実、伝統派と前衛派を問わず、近現代短歌は「概念」と「感情移入」の系譜であったと受け止められる時、このことは、「写生派」のみならず、短歌実作の上に大きくたちふさがっている問題であることを思わないでいられないのである。

『短歌往来』（平成二年四月号）の小特集を受け、小池光氏が「感情移入」についてのあらましを『短歌』（平成二年五月号）「歌壇時評」に簡潔にまとめている。加えて、

「うた」とは、感情によって支えられるもの、ではないだろうか、いいかえると叙情詩ではないだろうか。玉城氏の短歌の感情移入批判はゆきつくところ叙情詩としての短歌を批判、否定することにつながると思える……あるときの玉城作品は他の誰よりも感情移入を誘ってやまない。

と投げかけている。対し、玉城氏は、

知識以上の生命を与えてみたい。……それは感情化することではない。何かの生活感情を説明するんじゃなくて、客観的な対象によって感情を出す。（『喜劇の方へ』）

と言い、さらには「短歌は叙情詩ではない」（「短歌新聞」平成五年一〇）と断言する。

愁いつつ一日をこもり出でくれば空に拡がる海の夕映　来嶋靖生

感情移入の歌の原型はこうした「愁いつつ」と「海の夕映」の関係である。玉城氏は、

高槻のこずゑにありて頬白のさへづる春となりにけるかも　島木赤彦

を成功した感情移入歌とし、「……人生的な寂しさが自然の景色と溶け合ってくる。」これが感情移入だという。（「自作を刈らる」）

感情移入ではない歌とはどういうのをいうのか。玉城氏は「写生の伝統」とは別の受け方で万葉歌をよくとりあげる。

嗚呼見（あみ）の浦に船乗りすらむをとめらが玉裳の裾に潮満つらむか　持統帝（柿本人麻呂）

生活感傷がない。言い廻しの刺激がない。全身的にとらえられている。頭脳によって作り上げられた病的な想像でない。「肉体的な厚味をもった、すこやかな息吹に満ちた世界をここに創り出している」のは、言語の組織（しらべ）にほかならない。（「短歌新聞」平五・六・一〇）と評す。いうなれば、時代の装飾をとりはらい、万葉歌の声調という核をもとに、同心円的な広がりをもって空間と時間が交差する構造的なしらべを言っているようにみえる。

壁ぎはのベッドにさめしちのみごに近々と啼く霧のやまばと　玉城 徹
解きがたきしるしの如し空中に燈（ひ）の照らしたる壁の断片

確かに「感情を誘う」ようにできている。感情の表出と「感情移入」していることはちがう。「写生」の伝統に酔い痴れているわけにもいかず、また、軽

わざ師のようなことにもいきかねる者にとって玉城氏の「感情移入脱却説」の示唆するところは大きい。

（「眩」第二号、一九九三年一〇月）

追悼　米口　實の歌

名をなさず死ぬ歌びとを憐れ見て辛夷の花は
夜ごと散るべし

米口の遺歌集『借命』掉尾の歌である。葬儀の終わりの挨拶でご子息が『眩』会員の人に伝えてくれと託された」と紹介された作である。ここには米口の歌業が凝縮されていることをつくづくと思いみる。「物象に感覚を見いだすという伝統的な方法ではなくて逆に感覚に形を与えてひとつの世界をつくり出すこと」（『眩』五十三号「短歌時評」）を信条とする米口にとって現れた歌の姿は「浪漫」的で「流麗」なスタイルをとる。それはややもすると、表層的な言葉の「こしらえもの」（玉城徹）の虞に流れるおそれがあるのだが、その点、大辻隆弘氏の指摘（『米口實歌集』現代短歌文庫解説）に「過去への悔恨と、自責と、嫉妬が渦となって湧き上がって」とあるよう、こうした踏まえをもって読むとき、「歌集の全体的な印象は、非常に重く、重厚な」ものとなってくることを私も肯う。

「名をなさず死ぬ歌びと」はもちろん九十一歳の作者である。「名をなさず」の思いは十五年ほど前の『ソシュールの春』に〈暗き夜を蟬鳴きいでぬ歌詠みの六十路に入りていまだも無名〉ともあり、この意識は底荷となって続いていたであろう。恩師木俣修が、「当時の東大にはその後名をなした歌人諸君が多くいて」（『廣葉かがやく』序文）という人たちとの対照であるのかもしれない。それは〈妬心を鎮めゐたれば家並より炬火（きよくわ）のやうなる月のぼりくる〉『ソシュールの春』に大辻氏がみるような「嫉妬」ともなる。

いまわれは老いたる木霊（こだま）　ふりそそぐ怨みを
くろき瘴雨（しやうう）にかへて　『ソシュールの春』

腎臓結核をもって戦争の前線に立つことをまぬがれ、命永らえたことへの自責、順調に自己を遂げていく人たちへの嫉妬、そして、師、木俣修との齟齬からの作歌の永の中断、こうして、六十代からの米口はそれまでの「無駄な力の浪費」を「取り返すために走りつづけなければならなかった」のだ。これを劣等感にさいなまれた女々しさ卑屈さと見ることはできまい。置かれた状況、「不遇」への歳を経ての果敢な挑戦であったと同情される。

そして、米口にとってこの「辛夷の花」はたまたまのものでは決してなかった。

汝と逢ひし峪に辛夷の花咲かむ　わが亡きの
ちの年々の春　『流亡の神』

夕暮れに開くを見れば消えゆきし人のやうな
り　辛夷白花　『惜命』

「老い」てなお走り続けねばならない米口の、生命力の確かめともいえる官能性とその美的矜持をうながすものとしてのそれであり、「老いの歌」の著しい特質をもたらしている。

詩とはなに　硬く尖れる乳首を舌にもてあそぶときの陶酔　『ソシュールの春』

涙する身を寄せながらわがものを手ぐさにとりぬ水のをみなは　『流亡の神』

こうして頭書の作を踏まえみるとき、掉尾の歌には、米口の持ち来った中核となる心処が深く籠っていることに思い至る。

ソシュールの言語説を受け、希求しきりであった「文体」の、確立をとげたとする矜持をもっての命終であったことを拝察する。

春のみづみなぎる妣のふるさとや貝類図譜のあさり・はまぐり　『ソシュールの春』

避けようもなくて氷雨の夜がくるうす桃色の薔薇をくださひ　『落花抄』

われはいま地を這ふきぎす放埒にやぶれはてたる尾羽を曳きて　『流亡の神』

表現を終へて鎮まる樅の木の根方に遊ぶ冬の落暉は　『惜命』

＊

最晩年を過ごされた有料施設の自室の小さな書架には『白秋全集』等とともに大部に『斎藤茂吉全集』が置かれていた。『眩』誌（創刊百十号）巻頭の採用歌は後半は茂吉歌ばかりとなっていた。このことをなんと解そう。

ともかく、「老い」てなお「走り続け」る在り処をこそわが学びとするところと銘じたい。

棺のお顔はやすらかで、辛夷の花を愛でていられるようであった。

（「眩」第十九号、一九九七年一一月）

鮎の話

鮎、年魚、香魚、アユは一年でその生をとげる。中には越年し、三十センチを越すのがいると聞くが例外とみてよい。晩秋、川を下り河口で産卵、孵化した稚魚は一旦海に入り、動物性プランクトンで育ち、春さき、川をさかのぼる。七，八センチくらいになって餌は清流の石につく苔（珪藻（けいそう））を食むようになる。初夏より真夏にかけてぐんぐん成長し、二十センチを越えてくる。おのおのがテリトリーを持ち、友釣りの囮（おとり）を追う。追いが強いのもこのころである。やがて秋風が吹き、水温の下がりはじめる九月の終わりのころ、一雨ごとに下がりはじめる。河口近くに集まり産卵し、放精し、そして死ぬ。生と死の一年間のサイクル、「年魚」といわれる所以。生けるものの端的な姿がそこにはある。

みづうみに育ちし鮎の放たるる川に風あり芥子菜の花

高知、四万十川・紀伊、熊野川はともかく、わが千種川では天然遡上の鮎は、昨今の種々の障害にあって、中、上流域にはまず上って来ることはできない。

そこで琵琶湖の稚鮎が放流される。トラックの荷台の水槽からポリバケツに水ごと汲まれ、次々と場所を変えながら放たれてゆく。川岸の桜が散り添い、洲に芥子菜は咲きなびき、春の増水にささにごりした水流は急に豊かさを帯びる。おりしも幼いものをいたわり育むような風が吹く。せせらぐ水の面をみつめながら解禁の日が待たれるのだ。

瀬走りに寄せくる鮎の背掛かりのふたたびわれを逃るる力

早瀬で鉤掛かった鮎はほとんどが下流へと突奔る。突如、竿が大きく撓る。糸が金属的な音をたててうなる。徐々に流れの緩いところに寄せてくるのだが、鉤が背掛かりしたものは水の抵抗が強く、なかなか寄って来ない。このやりとりが友釣りの妙味でもある。

　合歓の花映す瀞場(とろば)の水の面を分けひたひたと
　鮎寄せてくる

荒瀬の激しい釣りもなかなかだが、合歓の花影のもと、ゆったりと瀞場（ゆるやかな流れの深み）での泳がせ釣りも乙なものである。ズコンという手ごたえの後、下に引き込む。大きく竿は撓り、じわじわと引き上げてゆく。囮鮎(おとり)を浮かせ、ひたひたと水面を引き寄せてくるのだ。

　おとり鮎野鮎のふたつタモにゐてわれが仕掛
　けの糸に繋がる

「友釣り」は道糸からおとりの鮎の鼻かんにつないだ糸に逆鉤(さかばり)を掛け、三本あるいは四本の掛け鉤を尾になびかせ、石の間を泳がせると、その石を縄張りとする野鮎が追い払おうと突っかかってくる、それが鉤に掛かるという釣りである。釣り人はその仕掛けに工夫をこらすのだが、鮎の習性とのかけひきがそこにある。掛かった元気な鮎を弱った囮鮎と取り換え、それが次の囮になる。取り込みに成功し自分の所有となった鮎には妙な親わしさが来すのである。

　大鮎に小鮎の掛かり真夏日を牛ひゆくものの
　食みさかんなる

鮎はテリトリーを持つ。苔の着いた黒い石を中心に一メートル四方くらいを一匹が縄張りとする。そこに侵略するものがいると、体当たりで追い払う行動にでる。二十数センチの大鮎に十五センチくらいの小鮎が掛かることがある。自分の場所を守るのに力の差はまるで関係ないのだ。

特に真夏の生育欲はすさまじい。黄金色にひらめきながら石を食むのが見ながらに掛かる。大鮎が掛かった時、糸が切れるトラブルがよくある。山女ならば一度人におびえたものは当分の間釣れるということはまずない。が、なんと、二十分ほどの後、鼻カンをつけた、今しがた逃がしたのが掛かったりする。それほどに自分の餌場を守ろうとする本能がすさまじいということである。

千種川支流佐用川そのかみの鮎釣りゆかんそのきらめきを

鮎は保護色をもつ。黒石に居るのは黒みを、土色の滑らにいるのは黄色みを帯びる。最上流の清流きわまるところにいるのは、水に青空が映ったような肌つやをしている。絹ごしの豆腐ような手ざわりをしている。西瓜を切ったときのような香りをしている。鰓のほとりの紋が鮮明な黄色をしている。

こういうのはかなり上流でもいなくなってきた。ましてや、中下流では泥くさく、ゴマつぶのような斑点のついた、肌の粗い、食傷気味ものが多くなってきた。水質の悪化がそこまで来ているいうことである。

環境に敏感な鮎の生態はその自然環境のバロメーターのように思われる。私からみれば、本当の鮎は上流にしかいない。

釣りあげし鮎幾匹を笹に挿しきみに渡しぬ昔のやうに

道の辺の橋のほとりで釣っていると折りに人が声をかけてくることがある。その人が心ほのかな人であったりすると、やにわに岸の竹笹を手折って挿しわたしたりする。鮎には笹葉がよく似合う。

彼岸花咲き出づるころ釣るべしと九月の鮎を人教へきぬ

九月ともなると鮎のオスは肌も黒さび、腹は朱く婚姻色があらわれてくる。メスは白い腹をぱんぱんにみなぎらせて卵をもつ。オスは出し用にするか、うるかをとるくらいの価しかなく扱われ、メスは美しく、味もよろこばれる。

河床に尾ひれふるわせ口ひらく年魚（あゆ）放精に声もらすごと

身じろぎも間遠となりて放精のあとを死にゆく年魚に日の射す

川を下って来た鮎は河口ちかくの丸石の多い川床で産卵する。一匹のメスに四、五匹のオスが身を擦り寄せ放精する。そして死ぬ。この時の為に全てがあったかのように。すでに、河原に、空に、多くの水鳥が集まり、さわぎ、その死を待っていて。

ところで『万葉集』（巻五）に次のような歌がある。

松浦川川の瀬光り鮎釣ると立たせる妹が裳の裾濡れぬ　（855）

松浦川は今の玉島川、佐賀県東松浦郡七山村に発し、浜崎玉島町で海に注ぐ。ある地方官が玉島川を逍遥中、「性水（さが）を便とし、復（また）、心に山を楽しぶ」花のような女子（おとめご）、鮎を釣るおとめにあった時の贈答歌である。

乙女が、どんな姿で、どんな竿で、どのような鉤で鮎を釣っていたのか。人も鮎も天然のままに置かれた屈折ない場を想像するだに、いかに私どもが傷んでいるかを知る思いがきたす。

（「眩」第三号、一九九四年一月）

解説

尋ねさせる力
──『九月の鮎』評

小池　光

安藤さんはわたしと同年、同業の人のようである。米口さんの解説によれば兵庫県立佐用高校に務めている。

わたしは地図帳を用いて佐用という所を捜した。兵庫の西のはずれ、山ひとつ向こうは岡山県というあたりに、ちいさなその町を見つける。神戸とか西宮とかの大都市とは、同じひょうごであってもずいぶん違う所だろう。

わたしは、宮城で生まれ育ち、大学も地元である。それが埼玉の私立学校の教師になっている。どうして宮城県の教師にならなかったかといえば、教員採用試験に落ちてしまったからだ。最近、年のせいかあのとき宮城県の採用試験にうかってたらその後の人生はどうなっていたかと考えるときがあるが、おそらく宮城の佐用のようなところで教師生活を送っているのである。

学校教師の歌をまず読む。

職員室の窓ぎはにして刺のある蓖麻（ひま）の実を干す社会科教師

こういう教師はわたしのところにはいない。右も左もビル、ビル、ビルの谷間の貧しい私立学校である。佐用という町が彷彿とする感じがするが、それはまあこちらの勝手な思い込みかもしれない。蓖麻を物にうといわたしは知らず、ましてその実を知らないが、

道のべに蓖麻の花咲きたりしこと何か罪ふかき感じのごとく　　茂吉『白き山』

などという歌は知っている。いろいろいわくある植物だ。この社会科教師に親しみを覚えるが、歌とし

ては「棘のある」はいらないだろう。手の内を語り過ぎる感じがする。

喫ひをれば一人のきたり換気扇の下に一言二言かはす

これはわたしのところと同じだ。かつて学校教師に喫煙はつきものだったが、いまでは喫煙派の肩身の狭いこと狭いこと。そのぶん煙草のみ同士の奇妙な連帯感というのも、この歌のように、生まれてきて、なかなか味わいあるものではある。（わたしも喫煙派）。歌は「一人のきたり」にやや難があるようである。

この度の外人教師は冬ながら団扇持ちあるくはた教室へ

こういう外人教師はうちにはいないが、外人教師というのはいかにもこんなふうにしそうで、よくいい得ている。おもしろい。ただ「はた」はどうか。団扇をもってどこへ行くかといえば、それは教室以外にはないと思えるからである。いくら外人教師でも冬の佐用の町を団扇片手には歩くまい。

洗ひたる指に残れる色チョークを洗ひ直しつ水に打たせて

というのも毎日毎日われわれがしていることである。同じ場面を歌って

蛇口より落ちくる水に当てゐたり白墨にまみれ白き指を　　玉城　徹

というエロスの香りただよう名品があるが玉城門下としてさて安藤作の塩梅はどうかと考えると、なかなか難しい。

ふつとして落つる百合の葉見てあればなにし

てるんと生徒らが言ふ

教師の歌としてはこの歌が一等良いと思ふ。なにも余計なものがない。余計なものというのは教師としての使命感とか責任感とか倫理とか、またそれらが逆に意識された反使命感とか反倫理性とかいうたぐいのイロイロの雑音のことである。教師がつくる歌は、たいていこういう雑音で充満しているのが常で、それをわれわれはわかりやすいというのだが、この歌にはその雑音がなく、しなだれてくるわかりやすさがない。ただ百合の葉が落ち、それをただ教師が見、ただ生徒がなにをしてるんだ先生、と尋ねる。森閑とした真昼のふかい空間がひろがっているばかりである。安藤さんの歌には、こういうふうになかなかわかりにくいものがある。表現が不十分で結果としてわかりにくくなってしまったものもあるが、そうでなく、抱えているものがあまりに茫漠としていて、それをまるごと投げ出すしかなかったがためわかりにくくなっているものがある。それが、なかなか魅力的に写る。

水ぎはのはらみの猫が波の秀に手を伸べて引き首をかしぐる

関脇の肩捕つたりを見しあとを壁の冬の日いきなり剝がる

うがひ水に跳ねてハヘトリグモの消ゆぼこぼこ音をたつる流しに

青柿の高きを落つる音はしてふりむくわれに蟬当たり鳴く

午睡より覚めたる乙がしろがねの匙に食ふなる襖のむかう

などという歌を、さっきから不思議なものを見るように眺めている。猫が「波」に向かって手を伸ばし、引き……という仕草をする。そして首をかしげる。なぜだ？　そしてなぜそれが歌になるんだ？　そういう問いにならない問いを発しないではいられない。この「尋ねさせる力」がしたたかで強い。

安藤さんがこういう方向から更に短歌表現の細部に熟達して生の分厚い手触りを探っていかれることを待っている。

（「眩」第十九号、一九九七年十一月）

一首一首よむ
――『鄙さかる』評

小池光

この歌集は一首一首読む歌集である。

それはどんな歌集だって一首一首読むではないかというかもしれない。まあそれには違いないが、多くの歌集はひとつの連なりとして読ませ、読んでしまうものである。作者の境遇とか背景とか、遭遇した事件すなわち「ドラマ」とか、あるいはもっと文学的にいえば「テーマ」とか、そういう散文的内容に短歌が乗っかかっていて、歌を読みつつ実は散文的内容を読む。一首一首への感想、批評のようで実は「ドラマ」とか「テーマ」についての感想、批評を強いられる場合が多い。それぞれの短歌が、それぞれの「話題」を提供する。

「話題」ということならむしろこの歌集は話題に事欠かない。作者は「鄙さかる」ところの学校教師である。教師を退職した人である。また神職である。老いたる親の介護をする。魚釣りもする。山歩きもする。歌の出所はなかなか変化にとんでいてみなそれなりの「話題」になっている。

しかし、その話題は一首一首の前に二次的三次的役割しか担ってない。とわたしは言いたい。すべてはことばの、一語一語の組織、その秩序の構築への意志によって作られる。ことばの実物はみな意味をもち、組織された意味として話題を避けられないから一応話題みたいなものがアリバイ風に立つ。学校教師の歌とか、神職の歌とか、介護の歌とかいろんな顔をしている。しかしその顔はいわば表皮の凹凸にすぎなく、なにを題材にしても「ことば」への熱心だけが作者をして歌を書かしめている唯一の理由である。連なりでなく話題でなく主題でなく、ただただ一首一首読みたいゆえんである。

で、一首一首読んだ感想を誌面の限りしるす。

春泥ののりたる靴は履くままに水の面にのせて漱ぐも

泥靴を水たまりの水の表に裏だけのっけてちょちょっと漱ぐ図。場面めずらしく複雑な情景を巧緻に掬っている。春泥がくっついた状態を「のる」で受けたのが苦心で、また水面に靴裏だけこわごわおくのを「のる」で受けるのも同様である。ああでもない、こうでもないと苦心して結局平凡なこの語に漂着した作者のよろこび顔が浮かぶ。「履くままに」も必要十分。

その上で「春泥」が気になる。春泥、シュンデイとは何か、それは春先の雪でも溶けたぬかるみで白足袋がほのかに汚れるようなものをいうのであろう。ただのドロではない。ただの春のドロではない。前後の歌から推察するにどうも春の山野を山靴で歩いてきた場面らしい。山野に春泥はあるのであろうか。微妙なところだ。

杣山の水を踏みこし昨日靴はいて街ゆく熊蟬

のなか

昨日の靴を「昨日靴」と熟語にする。作者の造語だろう。ものすごい力技である。きわどいが、十分おもしろく、日本語として辛うじて成立するスリルがある。借用願を出して許可されれば自が歌に使ってみたいところだ。

結句はいろいろうごく。これでもいいが、別のものでもいい。そしていずれにせよあまりに「昨日靴」がインパクトがあるので、どうやってもとってつけたような印象になるのが残念である。

ひかへたる中の一つが首低く駆け抜け出でて
すなはち勝ちつ

神職の元教師は競馬好きでもあるらしく、話題としてうれしいことであるが、それはともかく「ひかへたる」が一首の核心。本来そこに居るべきでないがあえて下がって目につかぬようにしている。これが「ひかへる」という語の意味である。後方待機一気差しの中に「ひかへる」の原型を見た。清新にして正確である。数詞「一つ」もこういうべきところ。ただ結句がどうか。「すなはち」が定番的。

あはれ眠らむ中二のめごがみづからの明日の
服に財布を置くも

セーラー服の制服をきちんと畳んで、その上に財布をおいて眠る。清楚、几帳面、この上ない。「あはれ」の感情はわが子がかもすいわば過剰なる清らかさへの嘆声である。「めご」はただの「娘」ではだめか。

歯ブラシの色をたがへてさし置かるかかる筐(かたみ)
を家族と思へ

その隣の歌。「筐」の一字を「かたみ」と読むことでできている歌。それがみえすぎてしまうときなにかあやうい。様式に親しみすぎているという気がする。親しみ過ぎるというか、溺れるというか、もっとわるくいうと淫するというか、作者が直面する課題はひとつにこの点にありはしないか。

長歌を一首巻末近く収める。これが技冴えて感心した。「向かうより来たれる人も　さういへばさうねと言ひて過ぎゆきにけり」で笑った。てだれのユウモア、すてがたい。こういうのが作者の本領かもしれない。

（「眩」第七十八号、二〇〇七年九月）

ロマンチシズムと助詞

――『鄙さかる』評

落合けい子

『鄙さかる』は、『九月の鮎』に続く安藤直彦さんの第二歌集である。十年間の作品から捨てるは捨て、三百余首に纏めたとあり、厳選ということになる。

耳のあたりはつか吹かるる気配してすでにし
黒き蝶とすぎゆく
きらめきの瀬肩に翻（かへ）す鮎釣るとわが立つかげ
を人見つらむか

巻頭の二首であり、安藤さんの歌の世界をよく象徴している。前者、初句六音の字余り。もちろん意図して使っている。「あたり」には、耳とは限定せずに、耳周辺としたいという表現への拘りが伝わってくる。そして「耳のあたりを吹かるる」ではなく、

「はつか吹かるる」なのである。「耳のあたりはつか吹かるる」で、気配の具体性を、体感的に表現して、下句で気配の正体を示す。ちょっとマジック的だ。しかも気づいた時には、気配の主、黒き蝶は過ぎてゆくのである。一瞬の出来事なのに、一首として眺めたとき、詠われた時間の景は長い感じがする。不思議な歌である。「あたり」「はつか」といった曖昧模糊というか、ファジーなことばの作用によるのだろうか。ただ、米口主宰の解説にもあるように、「すでにし」や、「と」は気になる所。けれども、そこが安藤さんの拘りであり、こうした言葉の嗜好が作者の歌を個性豊かな、特異なものにしているのも確かだ。

　後者の「瀬肩」は一般の辞書には載っていないが、漢字から意味は伝わってくる。また「鮎用語辞典」には、「背に入る間際の場所」とある。食べるためではなく、瀬肩に翻すための釣りであることを「鮎釣ると」の、「と」の一字に込めている。返すに、翻すを用いているのも注視すべきだろう。そして、その自分の姿そのものでなく、「かげ」を人は見ているだろうかと、自己に問いかけるように詠う。ここには、作者特有の男のロマンチシズムが見える。一巻を通すとき、それは万葉まで遡り、持統、文武両天皇の藤原宮時代の柿本人麻呂への心寄せに憧れをもって連動しているように、私には思われた。こんな歌もある。

　抜けてゆく間を郭公のなくを止め見てゐるらむか葉むらのなかに

　ここでは、人ではなく郭公が自分を見ているだろうかと想像している。「なくを止め」が効果的で、リアルだ。初句にも妙に物語を連想させる。

　作者の実生活は西播磨地方の神社の神職であり、また今春まで公立高校の教職も兼務されていた。

　子を産みて通ふ生徒の会議なり残暑の窓を深く閉ざして

学校の池の菖蒲のゆれゆれてあはれ産卵の鯉
の背はげし
朝の日に光れる石にふつときてふつとたちゆ
くセキレイならむ

「高等学校」一連より三首。どの歌も力みがなく、素顔というより、作者の内に存在するもう一人に出会うような新鮮な味わいがある。「あとがき」に「命あるものの『生きのあはれ』とでもいうべきものを確かとさせたい」と記されていて、集中「あはれ」が散見するが、二首目のあはれは納得させる力がある。次のセキレイは風のようにも取れ、実際は若い女性であろう。「朝の日に」は、「朝の日の光れる」と二句へ繋げるのが普通だが、あえて「に」を重ねて用いることで、下句のリフレインと共鳴し、作品に奥行きが生まれている。こうした助詞一字に、作者の拘りが顕著に現れている。

かげ濃ゆき青のなかよりひとはけの夏うぐひ
すの声はたつたり
山水を注ぐ門べのアユ缶にをりをり跳ねる音
は聞こゆる
鳴きつつを鹿のなづみてゆきしならむこの裏
山に茶の花落ちて

一首目は、鶯の声をひとはけと表現して、見えない声を絵画的に描いてみせたところが卓抜。ただ、なぜ「は」なのか、私にはよく分からないでいる。同じく《手に受けて房のぶだうを洗ふとき打たせる水に虹はたつたり》の「はたつたり」も、自然な「の立つなり」とした方が却って歌の陰影が濃くなると思うのだけど、違うのだろうか。いずれも好きな歌ゆえに気になる。二首目など、静寂の時間空間から、今にも鮎の跳ねる音が聞えそうだと思って読み下していくと、結句の「音は」に来て、「は」が目立ち過ぎて、音が消えてしまう。最後の「を」も違和感がある。私は次のような歌が一等良いと思うのだが、どうだろうか。

うすずみの汚れのやうな五位鷺がこのごろ村
に棲みて啼くなる

山川のあかるき水に花すぎし合歓の葉裏のか
がよひてあり

薄墨の汚れのやうな、の比喩は言えそうで言えない。かなり独特の感性だろう。この歌には命あるものの生きのあはれ、命の暗さがある。次の歌は「あかるき水に花すぎし合歓の葉裏のかがよひ」と調べが美しく、こまやかな描写なのに、騒がしくなく、情景が鮮明に立ち上がる。一首に余分なものがないからだ。故に深みに分け入ることができる。しかもエロスが匂う。最後に一首。

滑（ぬめ）ぐさきものを裏戸に捨てにゆく白き素足も
浮かべみるべし

（「眩」第七十八号、二〇〇七年九月）

隠逸の系譜

——安藤直彦歌集『鄙さかる』書評

奥田亡羊

安藤直彦の第二歌集である。作者は都市圏で教職にあり、故郷では神職をつとめているらしい。亡くなった父母の歌があり、子どもの自立の歌もある。街の住人でもなければ田舎の住人でもなく、もはや独りの時間を生きている、そんな作者像が浮かぶ。

耳のあたりはつか吹かるる気配してすでにし
黒き蝶とすぎゆく

日の中に降りくるものは濡らすなり釣りゐる
われの竿の先まで

アユ釣れるわれのそびらの石原に日傘のひと
を立たせこそすれ

いずれも省略をきかせた表現が特徴だ。一首目は黒き蝶として過ぎ行くものが何であるのか明らかにされていない。二首目は雨という言葉が省略されている。三首目は日傘のひとを立たせこそすれ何なのか、言いさしのまま終わっている。読者にゆだねるというより独り言のつぶやきのようだ。

町方に激しく豚の啼きつるを若き女とゐていぶかしむ
汝が歯型われが歯型のこもごもに一つりんごと運ばれてゆく

「町方に」の歌ではまさに社会から切り離された場所に二人の世界がある。次の歌は自分たちの存在を歯型として即物的に捉えたところがグロテスクだ。いずれも恋愛の歌でありながら、社会や他との関係性がすでに失われつつあるように見える。孤独者の眼をもって自己や社会、他者との関係を見つめるところにこの作者の本領があるのだろう。

舗道(しきみち)に死にし仔猫をみてすぎぬ向かう向きさへあはれなるかな
烏骨鶏のみだらに生ふる脛の毛を見つつしそよぐ竹籠の外
滑(ぬめ)ぐさきものを裏戸に捨てにゆく白き素足も浮かべみるべし

この歌集には何かを「見る」歌も非常に多い。「舗道に」の歌は仔猫が「向かう向き」に死んでいる光景に作者の眼が引き付けられ、そこに作者の思いも換気される。「烏骨鶏の」の歌は鳥の脛毛を見ている自分もその脛のように風にそよいでいるという内容で、見ていた対象がいつのまにか自分自身にすりかわっているような錯覚を起こさせる。「滑(ぬめ)ぐさき」は家人の日常を思う歌であろうか。いずれも「見る」という行為によって主体としての〈われ〉を再構成し、対象との関係を結び直そうとする作品と読んだ。

歌集の解説で米口實氏が安藤直彦にオブローモフの面影を重ね、その作品を「隠者の歌」と評しているのは興味深い。見ることこそ隠者の本質であるからだ。現代短歌の流行とはおよそ無縁であるこの歌集に私が強く同時代性を感じるのも、作者が隠逸者の文学の伝統を受け継いでいるからかもしれない。

ボンネットに張り付きありしガムさへに怒る心のうすれゆき　冬

キセキレイ湧き水そそぐ光に来て喉ほそくもそを飲まむとす

諦念をたたえた孤独な眼に捉えられる季節のめぐりや自然の美しさがひときわ印象的であった。

（青磁社通信　第二十号、二〇〇九年三月）

水清い過疎のふるさとを詠う

――『佐夜の鄙歌』書評

藤井　玄

安藤直彦の第三歌集である。平成十九年からおよそ十年間の作品から長歌二篇、短歌四二四首を掲載する。五十一節によって構成され、各節は「鮎釣ると」「廃村の譜」「ある野良猫のうた」といった標題をもつ。第九節に、歌集の標題となった「佐夜の鄙歌」十三首がある。その中の一首、

都鄙かよふわが幾年をたたしめて傾りにそよぐ三椏の花

都会とこの田舎を行き来して何年も経った。山深い故郷の傾斜地には、今年また三椏の花が咲いて風にそよいでいる。

作者は、学究として東京の大学に十一年間を過ご

した後、阪神間で教員生活を送る。その間も神職の後継者として、故郷が脳裏を離れず、頻繁に都会と故郷の間を往来したようだ。

　冬の雨降るや狭庭の枯れ枯れをつつと毛物の
　駆けて消ゆるも

作者の故郷、鄙の景である。主情的なことは何も言わず、客観的な言葉によって、山里のうらさびしさを表現する。

　祀らむと灯す二つの蠟（らふ）燭の灯をそよ山風のあぶなく揺らす
　荒神さん、お守りできなくなることを老いはせつなく言ふてくるなり
　大藤を伐りし祟りもあることに頭かかへて婆がちぢまる

作者は、神職として祀りの火を司り、里人の嘆きや懺悔に耳を傾ける純朴な、しかし過疎と高齢化の波に抗し難い鄙の暮らしが、風土が見える。

「廃村の譜」「堅香子の谷」「昼の神殿」をみよう。

　老い四人これが全部とくすぶれるストーブ囲み話しはじめつ
　人のゐない後のうぶすな神がこと　いかんせんとや宮守われは
　石きだにひとりつまづきゆかむかな遠うぶすなの宮守われは

歌集中には、海外詠も相聞歌も、いささか官能的な歌もある。また、一首一首が弛みなく緩みなく独立している。しかし、歌集全体に産土の鄙に対する作者の懐旧、愛着、思い越しが通奏低音のように流れひとつの世界を形成している。その空気感の中で再読するとき、一首一首をより興味深く読むことができた。

さて、私は短歌に関して、全くの初心に毛の生え

たほどの者であるが、その私の目で見て本歌集中の作品は、歌の構造からして三つのグループに分かれる。

一つは、枕詞や上代語等を含む、古典的もしくは擬古的な歌ことばを用いた作品群である。これらは、歌材、内容が新しくても、その新鮮さが減殺されないかと危惧する。

夕されば瀬の音たかみ影くらみひとり男（を）の子の竿納めたる

たまきはるいのち耀ふごとくにも山の引き水桶をあふるる

意味明快、調べもよいが、なにか既視感を覚える。

第二のグループは、凝った助詞遣い、大胆な省略、シンタックスの捩じれ等により、直ちには了解し難い歌である。

食ひ始めし鯖は一尾の熟れ寿司を共に食はむと頭尾分けたる

食い始めた鯖は一尾の熟れ寿司であって、その一尾の寿司を一緒に食おうと、頭尾に分けた。こういう意味であろう。

「一尾の熟れ寿司」を上の節の述語（補語）とし、また下の節の（目的語）として、二つの節を微妙に繋いでいる。「食い始めた一匹の鯖の熟れ鮨を（誰かと）一緒に食べようと分けた）と、単純な一章にすれば分かり易いと思うが、それでは表現しきれないものがあるのであろうか。

日のなかに唸る羽音は蜜蜂の来ずなる桜ただ咲くごとし

の「蜜蜂」も同様の働きをさせているようだ。

また次のような歌に見られる助詞、「てにをは」の遣い方が、不自然で、歌意をわかりにくくしていないか。

あめゆきの浅瀬にのがれ斃れしを牡鹿正月三日を撃たれ

ゆく川の流れは絶えて混凝土の水は溜まりの映す夏雲

ちひさかる羽音はすぎて手水とる柄杓に水は飲みゐたりけり

些末なことのようであるが、私には大事な関心事である。

第三のグループは、初心の私にも理解・共感できる、平易、簡明な歌であり、心惹かれる作品群である。

春ぐもる窓に重たく演習の山こえてくる大砲の音

音しなく晩夏を雨の降るものか小豆の花の揺るるともなく

里山の宮居の裏に雪しづり青く小さな鳥ひとつゐる

たまに、ユーモラスな歌が混ざると、読む者の気分も安らぐ。

姫金神のすごき障りを案じくる婆を祟りにおどしてゐたり

客観的、具体的、細密な描写により、読む者の脳裏にその景をはっきりと描かせ、「詩」を感じさせる歌が少なくない。

ひららかなる白磁の皿に桃ふたつ硬き歯型のままを残れる

廃屋の破れにみえて微笑めるカレンダーはもそのくらがりに

空梅雨の光ひらたき棄て畑に物置小屋の戸は閉ざしあり

魅力的な歌は枚挙にいとまがないが、紙幅が尽きた。

（「八雁」三十二号、二〇一七年）

水と女
――『佐夜の鄙歌』書評

櫟原　聰

第一歌集『九月の鮎』を五十歳で、第二歌集『鄙さかる』を六十歳で上梓した作者は、本集において、主題としてのトポス「佐夜」と、歌の本源としての「鄙歌」のあり方を世に問うこととなった。

作者は、神職として、また兵庫県歌人クラブ代表として、多忙な日常にありながら、教師として阪神間にあった時にも、「鄙」としての郷里の地「佐用」を意識の根底に置いて作歌活動を展開してきたと言える。本集中に見える「佐夜の鄙歌」「冬の鄙歌」「都鄙かよふ」「初夏の鄙歌」といった題名に、それは端的に窺えるだろう。そして、もうひとつの主題である鮎や猫などの「生類」の歌が現れ、その間に谷川健一を惜しみ、前登志夫を尋ね、米口實を追悼する歌なども配されている。まず巻頭の歌は、「樫の実のひとり人をしおもふ身のあまつひかりの樹間をあゆむ」である。

佐佐木幸綱も「樫の実の」ひとり、という枕詞を用いているが、この「ひとり人」とは誰のことだろうか。それは「そのかみの松浦乙女（まつらをとめ）の鮎釣ると声のほがらも浮かべみるべし」のごとき鮎釣り人のようでもあり、「めくばせの笑みほのかにも遠のける十八歳をまとふ夕闇」の処女のようでもある。教え子なのだろうか、魅力的な微笑みを湛えているモナリザ的存在であるようだ。大伴旅人の歌「松浦川川の瀬光り鮎釣ると立たせる妹が裳の裾濡れぬ」（万葉集八五五）は女性を歌っている。これは『遊仙窟』等中国の文学をもとにした虚構であり、北九州の地を歌ったものであるが、作者の佐用の歌にも同様の幻想的風景が見られる。任那へと赴任する夫を見送ったという松浦佐用姫がイメージされているかと思われる。ならば佐用の地と深く響いているだろう。「門先の茶の芽の伸びもそのままに老女ひとりの不在を訪へり」「三椏の花咲く里に一人棲むおばばに神札（おふだ）をとどけにかゆかむ」という歌もあって、「ひとり人」とは、あるいはこの老女のことなのかもしれない。

川の底、床（いし）の如しとさながらに伊師（いし）とこそあれ石井の里は

夏さればきよら流れの滑石（なめいし）にわれは鮎釣るその床石に

水はまた、「佐夜」の地と大いに関連する。播磨国風土記に見える。「讃容の郡、伊師」という郷里との往来があった。「伊師」は椅子で、「床几のように平ら」である様を言うもののようである。強い生命力に関しては、次のような歌もある。

わが意思を離れしもののいきなりを術後三日を茎立つ魔羅は

官能こそいのちのもとと言ふならくわが病床のまらに問ひかく

入院、手術の折にも、生命力の根幹にあるというべきものが沸き起こる。ここには作者の生命力の強さ、健やかさが溢れ出ているだろう。

酒瓶をさげて山道おとなへば、「洗心山荘」
は水音の中

友を訪問した時にも「水」があって、ターレスのごとく「水」は万物の根源をなし、老子のごとく生命のみなもとにあるものとして意識されている。「八雁」三十号記念号においても、作者は自選十首の題を「湧く水」とし、「湧く水にいまだも眠る潜在のいのち汲み出だす歌をこそ欲れ」（自選十首では初句が「湧く水の」となっている）「たまきはるいのち耀ふごとくにも山の引水桶をあふるる」といった歌を提出している。「水」と「いのち」が作者のテーマであることは明らかである。

「初夏の鄙うた」の長歌一首もおもしろい。ただし、最後に返歌とあるのは、反歌の誤植ではあるまいか。二首の反歌をもっているこの長歌で、作者は蟹や小蛇を幻視するが、あとがきに言う「消えゆかんとする山里」の「存在態を歌うこと」の一環としての姿勢がここにもみとめられる。

はじめに主題としてのトポス「佐夜」と、歌の本源としての「鄙歌」のあり方と記したが、「鄙歌」のあり方とはどういうものなのだろうか。先に述べた旅人の幻想的風景も、いわば「鄙歌」として歌われている。憶良の八六八番歌の詞書に見える「鄙歌」は、拙い歌という謙遜の言葉であるが、旅人の「松浦川に遊ぶ序」に言う、「誰が郷誰が家の子らぞ、けだし神仙にあらむか」との問いに対する、「ただ性水にならひ、また心山を楽しぶ」との答えがあり、鄙とは人跡の至りえぬ仙境を言うものとして理解できる。単なる田舎の謂ではないのである。「鄙歌」は失われつつある理想郷を再生させる歌とすることができるだろう。「佐用」の地にあって、万葉集的理想郷を歌として打ち出そうとした。「渓の火垂」では、「まあ、素敵　ほがらの声の聞きたさに渓にきたれば火垂飛ぶなり」「鮎ほぐす指」では「合歓咲くとわれいふ、まあ、ときみの言ふ山巓にきて車かへすとき」「あひ見てのまたのめぐりのながければこころのこまを早送りする」と、相聞とも見える瑞々しい歌があって、「水」と「いのち」のテーマを具現化する女性の存在が、万葉集歌とともに底流していることが見て取れるのである。『佐夜の鄙歌』は女性なしにはあり得ないのであり、女性を通して見えるいのちの輝きが歌集全体に流れでている。

（「八雁」三十二号、二〇一七年）

典雅と自在

——書評『佐夜の鄙歌』

大辻隆弘

最近珍しい、といっては失礼だが、典雅な文体で書かれた麗しい歌が並ぶ。

樫の実のひとり人をしおもふ身のあまつひかりの樹間をあゆむ

相聞の気分を歌った歌なのだろう。たった一人のひとに思慕を寄せながら木漏れ日のなかを歩む作者の姿が伝わってくる。「樫の実の」という枕詞、「をし」という古風な楚辞、「あまつひかり」という調べ。それぞれが有機的に結びついていて、文語の歌でしか持ちえない典雅で重厚な響きが一首のなかにもたらされている。

おそらくこのような典雅さは、作者が玉城徹・米口實氏に師事したことによるものだろう。大正生まれの最後の近代文語短歌の名手であったふたりの遺産を継承する意思がはっきりと伝わってくる。

　檜林の秀(ほ)にあらはれてたち仰ぐむらさきこゆき山藤の花

さりげない叙景の歌だが、二句目の「あらはれて」が効いている。

作者は初めからそれが藤だと認識している訳ではない。何となく茫然と檜を見ていると、ぽーっと紫の色が立ち現れてくる。この「あらはれて」はそのような物象が識閾のなかに現象する感じをあらわすのだ。このような言葉の斡旋で読ませる歌の巧みさはこの作者の最大の特徴だろう。

が、このような巧緻な文語表現はこの歌集の後半にかかるところから微妙に変化してくる。典雅さや巧緻さよりも自在さが目立つようになってくる。

　まろびきて白々そよぎあるものを兎の耳とまがふ初夏

なにか不思議な歌だ。「まろびきて白々そよぎあるもの」とは何だろう。読者には不明である。読者はその答えを下の句に求めようとする。が、下の句で書かれているのは、作者がその「もの」を「兎の耳」と誤解した、という事実だけである。結局、その「もの」が何であったのかは、最後まで読者には明かされない。まるで、謎かけを楽しむように歌を作っている作者の自在な遊び心が感じられる歌だ。

　あこがれを得たるごとくにトラックの運転室をわれはよろこぶ

長距離トラックの運転室というのは楽しそうだ。カーテンのなかに、小さなベッドが置いてあったりしてどこか隠れ家めいている。作者は、はじめてその室に入ったときの心の弾みをそのまま口から突いたようなこんな歌にしつらえる。このあたりも、非常に自在な感じがする。

逢ひし日の峪に辛夷の咲く春をつづりましけむ万年筆はどこに
割箸の袋に歌は示されて問ひなされけり平面として

亡き二人の師・米口實と玉城徹にささげられた挽歌である。「万年筆」や「割箸に袋」という具体物が実にうまく使われていて、高い矜持の持ち主であった米口と、酒を飲みながら熱く歌を語る玉城のひととなりを彷彿とさせている。このような物の使い方も憎らしいほどうまい。

典雅さと自在さ。文語短歌の二つの側面を巧みに体現した歌集である。

（「短歌往来」二〇一六年一〇月）

『佐夜の鄙歌』一首評

田和明

黒き服着くる男のささやきに泥む処女（をとめ）もあるとこそ知れ

黒い服を着ている男のささやきになずむ女もいると知ったことだ、と読む。この歌は小題「生類Ｉ」の六番目にある。まず「生類」といえば「生類憐みの令」が脳裏に浮かぶ。人々に生き物への殺生を慎めとし、慈悲の心を本文とするお触れで、行き過ぎたのが「お犬さま」と言われる話である。うしろにも「生類Ⅱ」という歌群があり、「牛き物」が主題で、特に人間の関わる歌が二一首中一三首ある。

風俗産業に身を「泥む処女」について作者は「こそ知れ」と強調をしている。戦後間もない頃までは苦界に身を沈めるとも言われた。風俗産業の世界は男社会の澱であり、ないほうがいい。自らその世界で稼ごうと考えている人を除外し、ダマされてこの世界から抜け出せない人、ダマされている事も解らず働いている人のいることを、巷の人間どもよ！考えたまえというのであろうか。特に「男のささやきに」ウッカリのってしまう女の人を「処女」と、純真な少女を想定している。

「黒き服着くる男＝安部を筆頭とする権力」、「ささやきに泥む処女＝経済難民の若者」と捉えても面白い歌であった。

掌(て)に囲ふひとつほたるの明滅をわたさんとし
てたたす面影　　　　井上克征

歌集『佐夜の鄙歌』をよんでいると、渇いた五体に清涼感が浸みわたって来る。それは樹間の湿った空気であり、渓流のせせらぎであり、風の音であり、また鄙びとの影である。そこで読者が呼吸する静謐な時間の中にはひとすじ滅びの光も差し込んでいる。しかしそれだけではない。山間の茂みの中にひっそりと朱を点す冬いちごのようにちらほらとエロスが点っているのだ。甘やかなエロスもあれば、ときに激しく炎え立つエロスもある。しかしそのどれもが切なく、美しい詩情を湛えており、読み返すたび心惹かれる。掲出歌もその一首である。

　掌にやわらかく包んだひとつの蛍。指の隙から光がこぼれ、呼吸するかのように明滅を繰り返している。作者はその光の明滅を手渡そうとして闇の中にひとりの面影を佇たせる。（顕(た)たせる）のである。男から女へ手渡さんとする緑玉の光、その明滅。どこか暗示的で儚い。何とも妖しくまた美しい一首ではないか。

小田鮎子

一面はテロを伝へて繰る指に故なく触れしかめむし臭ふ

新聞の一面。テロの惨状を伝える記事に作者は目を留めている。そこにふいにかめむしが指に触れ、あの独特の臭いを放った。

どんなに悲惨な状況を新聞の一面が伝えても、私たちがそれを実感としてとらえるのは、実際のどれほどもない。しかし、一旦自分の身に降りかかれば、たとえちいさなかめむしが指にふれたことさえも無かったことには出来ない。

嗅覚を伴う具体が、場面を立体的にする。テロとかめむしが触れたこと、この断絶は大きい。しかしそのどちらもが、まぎれもなく同じ地球上で起っている。

薄っぺらの紙を、あるいは画面を、指先で繰るほどの感覚、でテロをとらえてしまうことの危うさを、私たちは自覚しているだろうか。これは作者が集中、度々モチーフとする地方性と都市性、普遍と個別（特殊）、衰退と再生といった問題につながっている。出来事が集約され情報となって大衆社会に消費されるとき、思考までも情報とともに使い捨てられてはいないか。今、立ち止まりたい。世界と世界との境界、そのきわどさを摑む視線が鋭く感じられるが、それは作者が神職を生業としていることと無関係ではないであろう。

千田まゆみ

ひさかたの光に音のあるごとく石をうちつぐ雪消のしづく

作者が居住する佐用町は、兵庫県の真ん中に位置する山深い所に在り、四季折々の豊かな自然が残っている。作者は、自然の中にある八百万の神々と地元の人々を繋ぐ神職を務めておられる。川の安全を祈願して、鮎の稚魚の放流にも尽力されている。

一首における「光」は、やわらかで明るい春の光である。雪は解けて滴となり石の上にしたたり落ち続けている。春の訪れの音が光の中に聞こえてくるようだと歌う。美しい歌である。枕詞の「ひさかたの」が効いており格調が高い。下句の「うちつぐ」は、石の上に雪解けの滴が落ち続けているというだけではなく、山村で継承されてきた祭りや行事を更に後世に伝えていきたいという作者の希望を感じさせる。山村の過疎化は深刻な問題であり、作者も胸を痛めている。「石を」の助詞の強さが、内に秘めた意志の強さを表している。下句の濁音の多さは、歌の流れを淀ませることによって陰翳を作り出している。

歌集『佐夜の鄙歌』は、農耕民族である日本人が古来より持つ、おおらかでのどかな心性を感じさせつつ、自然に畏怖を感じ謙虚に生きている人々と神職として村の守り神に仕える作者との豊かな交流を、歌い上げた印象深い歌集である。

（「八雁」三十二号、二〇一七年）

安藤直彦歌集　　現代短歌文庫第170回配本

2023年 9 月18日　初版発行

著　者　安　藤　直　彦
発行者　田　村　雅　之
発行所　砂　子　屋　書　房
〒101-0047　東京都千代田区内神田3-4-7
電話　03−3256−4708
Fax　03−3256−4707
振替　00130−2−97631
http://www.sunagoya.com

装本・三嶋典東

現代短歌文庫

（　）は解説文の筆者

①三枝浩樹歌集（岡井隆・岩田正）
『朝の歌』全篇

②佐藤通雅歌集（細井剛）
『薄明の谷』全篇

③高野公彦歌集（河野裕子・坂井修一）
『汽水の光』全篇

④三枝昻之歌集（山中智恵子・小高賢）
『水の覇権』全篇

⑤阿木津英歌集（笠原伸夫・岡井隆）
『紫木蓮まで・風舌』全篇

⑥伊藤一彦歌集（塚本邦雄・岩田正）
『瞑鳥記』全篇

⑦小池光歌集（大辻隆弘・川野里子）
『バルサの翼』『廃駅』全篇

⑧石田比呂志歌集（玉城徹・岡井隆他）
『無用の歌』全篇

⑨永田和宏歌集（高安国世・吉川宏志）
『メビウスの地平』全篇

⑩河野裕子歌集（馬場あき子・坪内稔典他）
『森のやうに獣のやうに』『ひるがほ』全篇

⑪大島史洋歌集（田中佳宏・岡井隆）
『藍を走るべし』全篇

⑫雨宮雅子歌集（春日井建・田村雅之他）
『悲神』全篇

⑬稲葉京子歌集（松永伍一・水原紫苑）
『ガラスの檻』全篇

⑭時田則雄歌集（大金義昭・大塚陽子）
『北方論』全篇

⑮蒔田さくら子歌集（後藤直二・中地俊夫）
『森見ゆる窓』全篇

⑯大塚陽子歌集（伊藤一彦・菱川善夫）
『遠花火』『酔芙蓉』全篇

⑰百々登美子歌集（桶谷秀昭・原田禹雄）
『盲目木馬』全篇

⑱岡井隆歌集（加藤治郎・山田富士郎他）
『鵞卵亭』『人生の視える場所』全篇

⑲玉井清弘歌集（小高賢）
『久露』全篇

⑳小高賢歌集（馬場あき子・日高堯子他）
『耳の伝説』『家長』全篇

㉑佐竹彌生歌集（安永蕗子・馬場あき子他）
『天の螢』全篇

㉒太田一郎歌集（いいだもも・佐伯裕子他）
『墳』『蝕』『獵』全篇

現代短歌文庫

（　）は解説文の筆者

㉓春日真木子歌集（北沢郁子・田井安曇他）
『野菜涅槃図』全篇

㉔道浦母都子歌集（大原富枝・岡井隆）
『無援の抒情』『水憂』『ゆうすげ』全篇

㉕山中智恵子歌集（吉本隆明・塚本邦雄他）
『夢之記』全篇

㉖久々湊盈子歌集（小島ゆかり・樋口覚他）
『黒鍵』全篇

㉗藤原龍一郎歌集（小池光・三枝昂之他）
『夢みる頃を過ぎても』『東京哀傷歌』全篇

㉘花山多佳子歌集（永田和宏・小池光他）
『樹の下の椅子』『楕円の実』全篇

㉙佐伯裕子歌集（阿木津英・三枝昂之他）
『未完の手紙』全篇

㉚島田修三歌集（筒井康隆・塚本邦雄他）
『晴朗悲歌集』全篇

㉛河野愛子歌集（近藤芳美・中川佐和子他）
『黒羅』『夜は流れる』『光ある中に』（抄）他

㉜松坂弘歌集（塚本邦雄・由良琢郎他）
『春の雷鳴』全篇

㉝日高堯子歌集（佐伯裕子・玉井清弘他）
『野の扉』全篇

㉞沖ななも歌集（山下雅人・玉城徹他）
『衣裳哲学』『機知の足首』全篇

㉟続・小池光歌集（河野美砂子・小澤正邦）
『日々の思い出』『草の庭』全篇

㊱続・伊藤一彦歌集（築地正子・渡辺松男）
『青の風土記』『海号の歌』全篇

㊲北沢郁子歌集（森山晴美・富小路禎子）
『その人を知らず』を含む十五歌集抄

㊳栗木京子歌集（馬場あき子・永田和宏他）
『水惑星』『中庭』全篇

㊴外塚喬歌集（吉野昌夫・今井恵子他）
『喬木』全篇

㊵今野寿美歌集（藤井貞和・久々湊盈子他）
『世紀末の桃』全篇

㊶来嶋靖生歌集（篠弘・志垣澄幸他）
『笛』『雷』全篇

㊷三井修歌集（池田はるみ・沢口芙美他）
『砂の詩学』全篇

㊸田井安曇歌集（清水房雄・村永大和他）
『木や旗や魚らの夜に歌った歌』全篇

㊹森山晴美歌集（島田修二・水野昌雄他）
『グレコの唄』全篇

現代短歌文庫

（　）は解説文の筆者

㊺上野久雄歌集（吉川宏志・山田富士郎他）
『夕鮎』『バラ園と鼻』（抄）他

㊻山本かね子歌集（蒔田さくら子・久々湊盈子他）
『ものどらま』を含む九歌集抄

㊼松平盟子歌集（米川千嘉子・坪内稔典他）
『青夜』『シュガー』全篇

㊽大辻隆弘歌集（小林久美子・中山明他）
『水廊』『抱擁韻』全篇

㊾秋山佐和子歌集（外塚喬・一ノ関忠人他）
『羊皮紙の花』全篇

㊿西勝洋一歌集（藤原龍一郎・大塚陽子他）
『コクトーの声』全篇

(51)青井史歌集（小高賢・玉井清弘他）
『月の食卓』全篇

(52)加藤治郎歌集（永田和宏・米川千嘉子他）
『昏睡のパラダイス』『ハレアカラ』全篇

(53)秋葉四郎歌集（今西幹一・香川哲三）
『極光―オーロラ』全篇

(54)奥村晃作歌集（穂村弘・小池光他）
『鴇色の足』全篇

(55)春日井建歌集（佐佐木幸綱・浅井愼平他）
『友の書』全篇

(56)小中英之歌集（岡井隆・山中智恵子他）
『わがからんどりえ』『翼鏡』全篇

(57)山田富士郎歌集（島田幸典・小池光他）
『アビー・ロードを夢みて』『羚羊譚』全篇

(58)続・永田和宏歌集（岡井隆・河野裕子他）
『華氏』『饗庭』全篇

(59)坂井修一歌集（伊藤一彦・谷岡亜紀他）
『群青層』『スピリチュアル』全篇

(60)尾崎左永子歌集（伊藤一彦・栗木京子他）
『彩紅帖』全篇、『さるびあ街』（抄）他

(61)続・尾崎左永子歌集（篠弘・大辻隆弘他）
『春雪ふたたび』『星座空間』全篇

(62)続・花山多佳子歌集（なみの亜子）
『草舟』『空合』全篇

(63)山埜井喜美枝歌集（菱川善夫・花山多佳子他）
『はらりさん』全篇

(64)久我田鶴子歌集（高野公彦・小守有里他）
『転生前夜』全篇

(65)続々・小池光歌集
『時のめぐりに』『滴滴集』全篇

(66)田谷鋭歌集（安立スハル・宮英子他）
『水晶の座』全篇

現代短歌文庫

（　）は解説文の筆者

67 今井恵子歌集（佐伯裕子・内藤明他）
『分散和音』全篇

68 続・時田則雄歌集（栗木京子・大金義昭）
『夢のつづき』『ペルシュロン』全篇

69 辺見じゅん歌集（馬場あき子・飯田龍太他）
『水祭りの桟橋』『闇の祝祭』全篇

70 続・河野裕子歌集
『家』全篇、『体力』『歩く』（抄）

71 続・石田比呂志歌集
『孑孑』『忘八』『涙壺』『老猿』『春灯』（抄）

72 志垣澄幸歌集（佐藤通雅・佐佐木幸綱）
『空壜のある風景』全篇

73 古谷智子歌集（来嶋靖生・小高賢他）
『神の痛みの神学のオブリガード』全篇

74 大河原惇行歌集（田井安曇・玉城徹他）
未刊歌集『昼の花火』全篇

75 前川緑歌集（保田與重郎）
『みどり抄』全篇、『麥穂』（抄）

76 小柳素子歌集（来嶋靖生・小高賢他）
『獅子の眼』全篇

77 浜名理香歌集（小池光・河野裕子）
『月兎』全篇

78 五所美子歌集（北尾勲・島田幸典他）
『天姥』全篇

79 沢口芙美歌集（武川忠一・鈴木竹志他）
『フェベ』全篇

80 中川佐和子歌集（内藤明・藤原龍一郎他）
『霧笛橋』全篇

81 斎藤すみ子歌集（菱川善夫・今野寿美他）
『遊楽』全篇

82 長澤ちづ歌集（大島史洋・須藤若江他）
『海の角笛』全篇

83 池本一郎歌集（森山晴美・花山多佳子）
『未明の翼』全篇

84 小林幸子歌集（小中英之・小池光他）
『枇杷のひかり』全篇

85 佐波洋子歌集（馬場あき子・小池光他）
『光をわけて』全篇

86 続・三枝浩樹歌集（雨宮雅子・里見佳保他）
『みどりの揺籃』『歩行者』全篇

87 続・久々湊盈子歌集（小林幸子・吉川宏志他）
『あらばしり』『鬼龍子』全篇

88 千々和久幸歌集（山本哲也・後藤直二他）
『火時計』全篇

現代短歌文庫

（　）は解説文の筆者

⑧⑨田村広志歌集（渡辺幸一・前登志夫他）
『島山』全篇

⑨⓪入野早代子歌集（春日井建・栗木京子他）
『花凪』全篇

⑨①米川千嘉子歌集（日高堯子・川野里子他）
『夏空の櫂』『一夏』全篇

⑨②続・米川千嘉子歌集（栗木京子・馬場あき子他）
『たましひに着る服なくて』『一葉の井戸』全篇

⑨③桑原正紀歌集（吉川宏志・木畑紀子他）
『妻へ。千年待たむ』全篇

⑨④稲葉峯子歌集（岡井隆・美濃和哥他）
『杉並まで』全篇

⑨⑤松平修文歌集（小池光・加藤英彦他）
『水村』全篇

⑨⑥米口實歌集（大辻隆弘・中津昌子他）
『ソシュールの春』全篇

⑨⑦落合けい子歌集（栗木京子・香川ヒサ他）
『じゃがいもの歌』全篇

⑨⑧上村典子歌集（武川忠一・小池光他）
『草上のカヌー』全篇

⑨⑨三井ゆき歌集（山田富士郎・遠山景一他）
『能登往還』全篇

⑩⓪佐佐木幸綱歌集（伊藤一彦・谷岡亜紀他）
『アニマ』全篇

⑩①西村美佐子歌集（坂野信彦・黒瀬珂瀾他）
『猫の舌』全篇

⑩②綾部光芳歌集（小池光・大西民子他）
『水晶の馬』『希望園』全篇

⑩③金子貞雄歌集（津川洋三・大河原惇行他）
『邑城の歌が聞こえる』全篇

⑩④続・藤原龍一郎歌集（栗木京子・香川ヒサ他）
『嘆きの花園』『19××』全篇

⑩⑤遠役らく子歌集（中野菊夫・水野昌雄他）
『白馬』全篇

⑩⑥小黒世茂歌集（山中智恵子・古橋信孝他）
『猿女』全篇

⑩⑦光本恵子歌集（疋田和男・水野昌雄）
『薄氷』全篇

⑩⑧雁部貞夫歌集（堺桜子・本多稜）
『崑崙行』（抄）

⑩⑨中根誠歌集（来嶋靖生・大島史洋雄他）
『境界』全篇

⑪⓪小島ゆかり歌集（山下雅人・坂井修一他）
『希望』全篇

現代短歌文庫

（ ）は解説文の筆者

⑪木村雅子歌集（来嶋靖生・小島ゆかり他）
『星のかけら』全篇
⑫藤井常世歌集（菱川善夫・森山晴美他）
『氷の貌』全篇
⑬続々・河野裕子歌集
『季の栞』『庭』全篇
⑭大野道夫歌集（佐佐木幸綱・田中綾他）
『春吾秋蟬』全篇
⑮池田はるみ歌集（岡井隆・林和清他）
『妣が国大阪』全篇
⑯続・三井修歌集（中津昌子・柳宣宏他）
『風紋の島』全篇
⑰王紅花歌集（福島泰樹・加藤英彦他）
『夏暦』全篇
⑱春日いづみ歌集（三枝昂之・栗木京子他）
『アダムの肌色』全篇
⑲桜井登世子歌集（小高賢・小池光他）
『夏の落葉』全篇
⑳小見山輝歌集（山田富士郎・渡辺護他）
『春傷歌』全篇
㉑源陽子歌集（小池光・黒木三千代他）
『透過光線』全篇
㉒中野昭子歌集（花山多佳子・香川ヒサ他）
『草の海』全篇
㉓有沢螢歌集（小池光・斉藤斎藤他）
『ありすの杜へ』全篇
㉔森岡貞香歌集
『白蛾』『珊瑚數珠』『百乳文』全篇
㉕桜川冴子歌集（小島ゆかり・栗木京子他）
『月人壮子』全篇
㉖柴田典昭歌集（小笠原和幸・井野佐登他）
『樹下逍遙』全篇
㉗続・森岡貞香歌集
『黛樹』『夏至』『敷妙』全篇
㉘角倉羊子歌集（小池光・小島ゆかり）
『テレマンの笛』全篇
㉙前川佐重郎歌集（喜多弘樹・松平修文他）
『彗星紀』全篇
㉚続・坂井修一歌集（栗木京子・内藤明他）
『ラビュリントスの日々』『ジャックの種子』全篇
㉛新選・小池光歌集
『静物』『山鳩集』全篇
㉜尾崎まゆみ歌集（馬場あき子・岡井隆他）
『微熱海域』『真珠鎖骨』全篇

現代短歌文庫

（　）は解説文の筆者

(133) 続々・花山多佳子歌集（小池光・澤村斉美）
『春疾風』『木香薔薇』全篇

(134) 続・春日真木子歌集（渡辺松男・三枝昻之他）
『水の夢』全篇

(135) 吉川宏志歌集（小池光・永田和宏他）
『夜光』『海雨』全篇

(136) 岩田記未子歌集（安田章生・長沢美津他）
『日月の譜』を含む七歌集抄

(137) 糸川雅子歌集（武川忠一・内藤明他）
『水螢』全篇

(138) 梶原さい子歌集（清水哲男・花山多佳子他）
『リアス／椿』全篇

(139) 前田康子歌集（河野裕子・松村由利子他）
『色水』全篇

(140) 内藤明歌集（坂井修一・山田富士郎他）
『海界の雲』『斧と勾玉』全篇

(141) 続・内藤明歌集（島田修三・三枝浩樹他）
『夾竹桃と葱坊主』『虚空の橋』全篇

(142) 小川佳世子歌集（岡井隆・大口玲子他）
『ゆきふる』全篇

(143) 髙橋みずほ歌集（針生一郎・東郷雄二他）
『フルヘッヘンド』全篇

(144) 恒成美代子歌集（大辻隆弘・久々湊盈子他）
『ひかり凪』全篇

(145) 続・道浦母都子歌集（新海あぐり）
『風の婚』全篇

(146) 小西久二郎歌集（香川進・玉城徹他）
『湖に墓標を』全篇

(147) 林和清歌集（岩尾淳子・大森静佳他）
『木に縁りて魚を求めよ』全篇

(148) 続・中川佐和子歌集（日高堯子・酒井佐忠他）
『春の野に鏡を置けば』『花桃の木だから』全篇

(149) 谷岡亜紀歌集（佐佐木幸綱・菱川善夫他）
『臨界』『闇市』（抄）他

(150) 前川斎子歌集（江田浩司・渡英子他）
『斎庭』『逆髪』全篇

(151) 石井辰彦歌集
『七竈』『墓』全篇、『バスハウス』（抄）他

(152) 伝田幸子歌集（岡井隆・波汐國芳他）
『蔵草子』全篇、他

(153) 宮本永子歌集（林安一・三井ゆき他）
『黐に来る鳥』『雲の歌』全篇

(154) 本田一弘歌集（小池光・和合亮一他）
『磐梯』『あらがね』全篇

現代短歌文庫

（　）は解説文の筆者

⑮⑤富田豊子歌集（小中英之・大岡信他）
『漂鳥』『薊野』全篇

⑮⑥小林幹也歌集（和田大象・吉川宏志他）
『裸子植物』全篇

⑮⑦丸山三枝子歌集（千々和久幸・村島典子他）
『街路』全篇

⑮⑧青木春枝歌集（来嶋靖生・森山晴美他）
『草紅葉』全篇

⑮⑨真中朋久歌集（河野美砂子・大松達知他）
『雨裂』『エウラキロン』全篇

⑯⓪小島熱子歌集（前川佐重郎・山内照夫他）
『ぽんの不思議の』全篇

⑯①河路由佳歌集（寺尾登志子・藤原龍一郎他）
『日本語農場』『百年未来』『魔法学校』（抄）他

⑯②続々・伊藤一彦歌集（日高堯子・岡野弘彦他）
『日の鬼の棲む』『微笑の空』全篇

⑯③結城千賀子歌集（橋本喜典・三井修他）
『蜻蛉文』全篇

⑯④関谷啓子歌集（毛利文平・さいとうなおこ他）
『最後の夏』全篇

⑯⑤楠田立身歌集（西野妙子・藤原龍一郎他）
『津森村』全篇

⑯⑥続・谷岡亜紀歌集（四方田犬彦・山田航他）
『風のファド』『ひどいどしゃぶり』全篇

⑯⑦吉野裕之歌集（内藤明・喜多昭夫他）
『ざわめく卵』全篇

⑯⑧本多稜歌集（小池光・俵万智他）
『蒼の重力』『游子』『惑』（抄）他

⑯⑨紀野恵歌集
『フムフムランドの四季』『奇妙な手紙を書く人への箴言集』『架空荘園』全篇

（以下続刊）

水原紫苑歌集　　篠弘歌集
馬場あき子歌集　　黒木三千代歌集